新版

小さな会社が本当に使える節税の本

税理士
冨田健太郎
葛西安寿

自由国民社

はじめに

書店に行くと、相当数の節税本が並べられていますが、どれも似たり寄ったりな内容で、真新しいものは見られません。もちろん、節税は法に則って行うものですので、内容が限定されてしまうのは仕方がありません。それでも節税本が後を絶たないのは、単純に同じ内容を色々な切り口で紹介しているためです。そして、内容云々よりも数を競うようになってしまっているのが現状です。

そのようななかで、我々が最大の問題だと考えるのは、数をアピールすることでも切り口を変えることでもなく、内容に強弱がないことです。節税効果が大きい方法も、効果が小さい方法も、どれも「同じ節税」というくくりで紹介されており、一体どこから手をつければよいのか、わからない状況になっているのではないでしょうか。

そのため、何となくよさそうな方法を利用したら、税務署から大目玉を食ったという話にもなりかねません。これは、リスク以外の何物でもありません。

また、営業マンにいわれるがままに訳のわからない節税商品を購入したものの、「詳細は税理士に聞け」といわれて放置され、結局何の節税にもならない。それどころか、大損してしまったというケースも見受けられました。

税法は、その一つひとつが複雑怪奇であり、かつ、ほかの税法ともリンクしています。目の前の方法にだけフォーカスしていると、節税として不十分になってしまう可能性もあるので、税法に詳しくない方では太刀打ちできないのが現状でしょう。生兵法は大怪我の基なのです。そういったことにならないよう、本書では節税策を、大きく分けて以下の4つに区分しました。

・やってはいけない節税策
・とりあえずやっておきたい節税策
・積極的にやりたい節税策
・一風変わった節税策（節税商品など）

「節税したいけど、何からやればよいかわからない」という場合は、とりあえずやっておきたい節税策を。「もっと節税したい」という場合は、積極的にやりたい節税策を。といった具合に、内容に強弱をつけています。反対に、やってはいけない節税策も紹介することで、効果がほとんどない節税策を回避できるでしょう。

もちろん、税の基本的な考え方がわからないと内容が理解できない可能性もあるため、それについても詳しく解説しています。税のしくみや考え方を知ることで、効果的な節税をすることができますので、内容的にはおもしろくないかもしれませんが、基礎知識として押さえておいていただけたらと思います。

また、直近の法改正によって話題となっている「電子帳簿保存法」や「消費税のインボイス制度」についても解説していますので、ぜひ頭に入れておいてください。

そして、ほかの書籍ではあまり触れられていない節税方法や銀行・税務署との付き合い方など、一風変わった内容についても、詳しく記載しました。どれも節税とは関係なさそうで、実は非常に大切な内容ですので、必ず最後まで読んでいただければ幸いです。

必要のない節税策は会社にとって害でしかありません。自らの目で判断し、効果的な節税策だけを取り入れられる内容になっているので、節税のバイブルとしてぜひ書棚に並べておいてほしい1冊です。

本書が貴社にとって節税策のスタンダードとなることを願ってやみません。

2022年7月

税理士　葛西　安寿
税理士　冨田健太郎

はじめに……3

1章 しくみを理解して節税策を模索する

01 レシートを集めれば節税? 〝合理的〟に節税する……12
02 利益の算出方法は会計と税務で異なる……15
03 法人税以外に会社が払う法人住民税・法人事業税……18
04 住民税・事業税は大規模法人ほど負担増になる……21
05 益金になるもの 益金にならないもの……24
06 お金のやり取りがなくても益金になる……26
07 一定の海外子会社の利益も益金になる……28
08 損金になるもの 損金にならないもの……30
09 法人税・法人住民税は損金にならない……36
10 節税は本当に税を〝節約〟しているのか……38
11 本当に節税できる項目はごくわずかしかない……40
12 経費を計上する時期 決算の駆け込み需要は正解?……43
13 本当に節税できる項目に注力する……45
14 最終的に税金は減らない 期ズレは最低限に抑える……47
15 2023年10月施行 消費税のインボイス制度……49
16 改正された電子帳簿保存法……53
17 「節税保険」に規制 保険料を全額経費にできない……56
18 キャッシュレス納付で仕事の効率化を図る……60
19 税金を払わないと会社は大きくならない……63

2章 やってはいけない節税策

01 無駄な経費の計上は資金繰りを悪くする……66
02 決算賞与と決算セールどちらも所詮は期ズレ……68
03 経費にならない決算賞与の支給に注意……70
04 低価法適用のための決算セールはナンセンス……72
05 翌期の経費の前倒しで効果を出すのは難しい……75
06 貯蓄性の高い保険は短期間で解約すると大損……78
07 高額資産を急に買っても当期分の経費は少額!?……81
コラム 領収書とレシートどちらを保存しておく?……84

3章 とりあえずやっておきたい節税策

01 やっておきたい節税策の具体例……86
02 青色申告の承認を受ける……89
03 出張旅費規程に日当を定め損金にする……92
04 社宅規程をつくって社員の手取りを増やす……95
05 各種税額控除を活用しよう……98
06 役員に給与を支払えば大きな節税効果がある……100
07 譲渡契約をしマイカーを経費にする……102
08 法人登記をし自宅を経費にする……104
09 通常の食事代を経費にする……107
10 残業時の食事代を経費にする……110

11 資格などの技能習得費を経費にする……112
12 事業に関連する旅費を経費にする……114
13 保険の積立金を経費にする……116
14 ゴルフクラブなどの費用を経費にする……118
15 会社を複数つくる分社化で法人税を節税……120
16 従業員の給与を上げて法人税等を控除する……123
17 「原則」より少なく消費税を納税する……128
18 海外進出する場合は現地法人の設立を検討……131
19 10万円以上の固定資産を短期間で償却する……133
20 資本金を1億円以下にしよう！……135
コラム クラウド会計の導入でタイムリーな試算表作成を……140

4章 積極的にやりたい節税策

01 積極的にやりたい節税策期ズレでも効果大な手法……142
02 退職金の3つのメリット……144
03 当期の税額を減らす税額控除を取りきる……148
04 地方拠点強化税制で優遇措置が受けられる……150
05 社宅や福利厚生を充実させて給与を減らす……153
06 見積書や請求書は内訳を細かく記載する……155
07 見積書は穴が開くほど確認する……157
08 中古の資産購入で当期の税金を大幅カット……159
09 20万円未満の繰延資産は早いタイミングで償却……162
10 消費税の届け出は2年単位で考えよう……164

11 消費税の還付金受け取りまでの時間を短縮する……166
12 課税売上割合を95％以上にして消費税を控除……168
13 課税売上割合95％未満の場合消費税の一部を控除……171
14 建設仮勘定で消費税を先取りする……173
15 5000円以下交際費を活用しよう！……176
16 5000円以下交際費を区分して損金不算入減……178
コラム 合同会社の設立を検討しよう！……180

5章 こんな節税方法もある

01 目先の税金だけでなく相続税についても考える……182
02 法人成りで所得を分散する……184
03 益金不算入が可能な株式等の受取配当金……186
04 資金繰りが厳しいときは「仮決算」を検討しよう！……188
05 法人税の申告期限は延長することができる……190
06 消費税の申告期限は延長することができる……192
07 決算日を変更して期限後申請を防ぐ……194
08 倒産防止共済に加入して連鎖倒産などを防ぐ……196
09 役員給与を別途支払いそれでも損金算入できる……199
10 文書を紙から電子媒体にするだけで節税できる……202
11 消耗品は在庫管理をしなくてよい！……204
12 貸倒損失はピンポイントでの損失計上が必要……206
13 従業員の退職金を先に損金化する……208
14 補助金・助成金がないか探してみよう！……210
15 封じられた「ドローン節税」……212

16 コインランドリー経営で大幅に節税する……214
17 海外不動産は節税と投資効果が期待できる……216

6章 税務署や銀行との付き合い方

01 最近の税務調査の傾向 実地調査は減少する！……220
02 税務調査の対策と受け方の基本……222
03 議事録の類は時系列で揃えておく……224
04 税務調査で否認されるとどうなるか？……226
05 逃れられないペナルティ……228
06 電子帳簿保存法のペナルティ強化……231
07 追徴課税は損金にならない……233
08 納得できなくても払う必要がある……235
09 相性のよい税理士・会計士の選び方……238
10 フィーを値切ると損をする可能性もある……240
11 銀行との付き合い方はどうするべきか……242
コラム 「個人成り」で社会保険の負担をカット……245

巻末資料

節税のために社長が押さえておきたい用語解説……246
法人税等の税率表……250
索引……254

1

しくみを理解して
節税策を模索する

01
税制度

レシートを集めれば節税？“合理的”に節税する

ひとえに「節税」といっても、その性質や種類、導入時の手間、それぞれの法人にとって有益かどうか、リスクの度合いなどはさまざまです。

まずは、法人に関係する日本の税制度のしくみをよく理解し、どのような方法が会社にとって最良なのか、検討していくことが不可欠です。

法人が負担する税金の種類

法人が負担する税金で最も代表的なものは法人税ですが、そのほか消費税、法人事業税、法人住民税も法人が負担する税金です。これらの節税を中心に紹介していきます。

これら以外で、法人が負担する税金には、固定資産税や印紙税、登録免許税、自動車税、ガソリン税などさまざまな種類のものがあります。

また、直接法人に関わる税金ではありませんが、役員報酬などに課税される個人の所得

法人に関係する税金

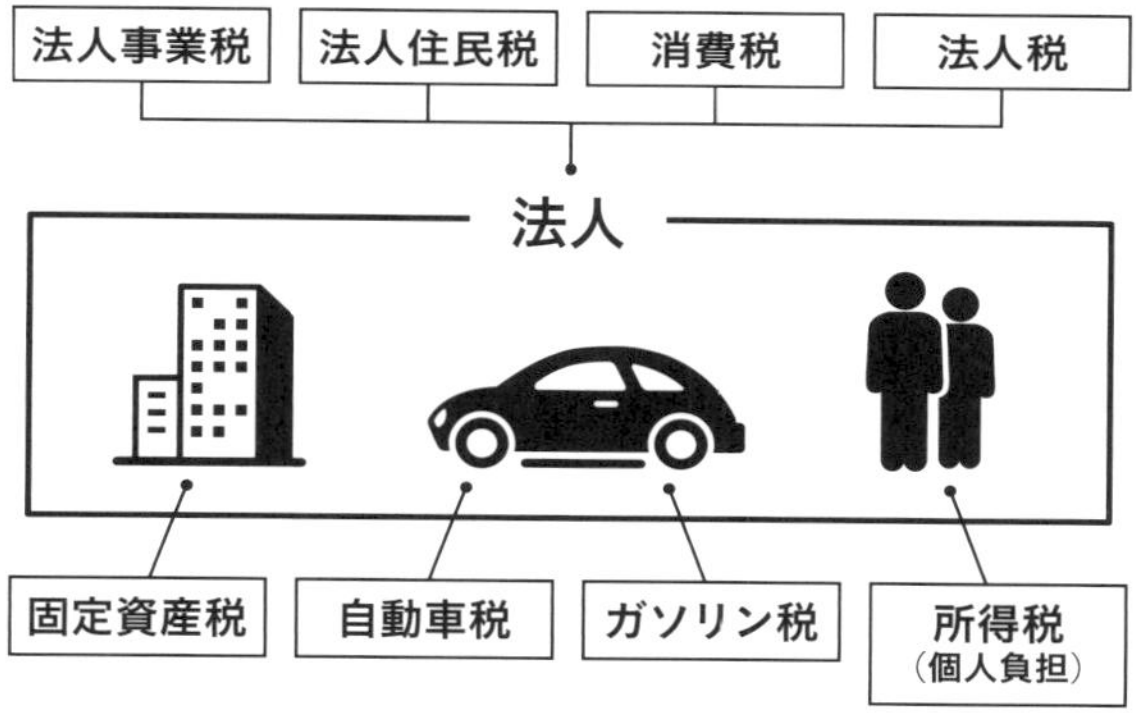

税も、節税を考えるうえでは大変重要です。

個人と法人どちらのほうがお得なのか

よく「法人化すると節税ができる」といわれます。その理由は、法人税と所得税の税率の違いや費用にできるものの範囲の違いなどによります。

個人の場合、所得税の最高税率は45％なので、**住民税と合わせると最高55％**にもなります。一方、法人の場合は、法人の規模や所在する地域などによって差はありますが、**実効税率は33％**程度です。この税率の違いを利用し、法人と個人の所得の配分を調整することも、ひとつの節税方法です。

また、社宅制度などの福利厚生制度などは、個人では導入することが難しいものが多く、法人化することによって活用できる特典などもたくさんあります。

法人は2つの財布をもっていると考えるとわかりやすいでしょう。法人と個人（役員など）の2つの財布に対して、所得をどのように配分すると税負担を低く抑えられるか、などを検討することができます。法人に配分するものは、いずれ役員や従業員、株主などの個人に還元したり、将来のための設備投資に利用したりと、長期的な視野で運用していくことになるので、法人と個人への配分のさじ加減は大変重要です。

主な節税法は4つ

節税方法は、次のようにいくつかのジャンルに分けることができます。

①経費（損金）を増やすことによる利益減少
②法人と個人の税負担のバランス調整
③税額控除の適用
④国際的な課税制度の違いを利用

特に、①はメジャーな節税方法ですが、「とにかくレシートを集めて費用を多く計上すればよい」といったような、誰でもできる単純なものではなく、税理士の視点から、「合理的でリスクのない方法で損金化するコツ」を紹介していきます。

02
所得金額

利益の算出方法は会計と税務で異なる

法人税の所得金額（税金をかけるもとになる税務上の利益）は、会計上の利益に一定の調整をして計算します。

会計上は、収益から費用を引いて利益を求めますが、**税務上は「益金」から「損金」を引いて所得を算出**します。会計の収益費用と税務の益金損金は、会計と税務の目的や考え方の違いから異なる部分があります（P24～37参照）。

会計は株主への報告や経営判断に必要な数値を算出することを目的とするのに対し、税務は課税の公平性や適切な税負担、国の政策判断による優遇などを目的としているため、違いが生じるのです。

課税対象となる所得金額

法人税を計算するときは、損益計算書の「当期純利益」をベースにして、**会計と税務の**

法人税の税率

中小法人課税所得800万円以下	15%
中小法人課税所得800万円超	23.2%
中小法人以外	23.2%

差を調整し、所得金額を計算します。前期から繰り越された**欠損金がある場合には、ここで控除**します。

資本金や課税所得によって異なる税率

所得金額に税率を乗じて法人税額を算出します。現在の法人税の税率は、上図のように定められています。

中小法人とは、普通法人のうち資本金の額が1億円以下などの一定の法人をいいます。日本の法人の税率は、外国企業誘致や国際競争力向上のため、近年段階的に引き下げられています。

所得金額に税率を乗じて法人税額を算出した後、適用を受けられる税額控除があれば差し引きます。税額控除制度は、二重課税の排除や国の政策などによって設けられるものです（P98～99参照）。

以上の方法によって算出された法人税額が年間の法人の事業活動に対する法人税額です。原則として、**事業年度終了後2カ月以内に申告し、税額を納付**します。

法人税の算出

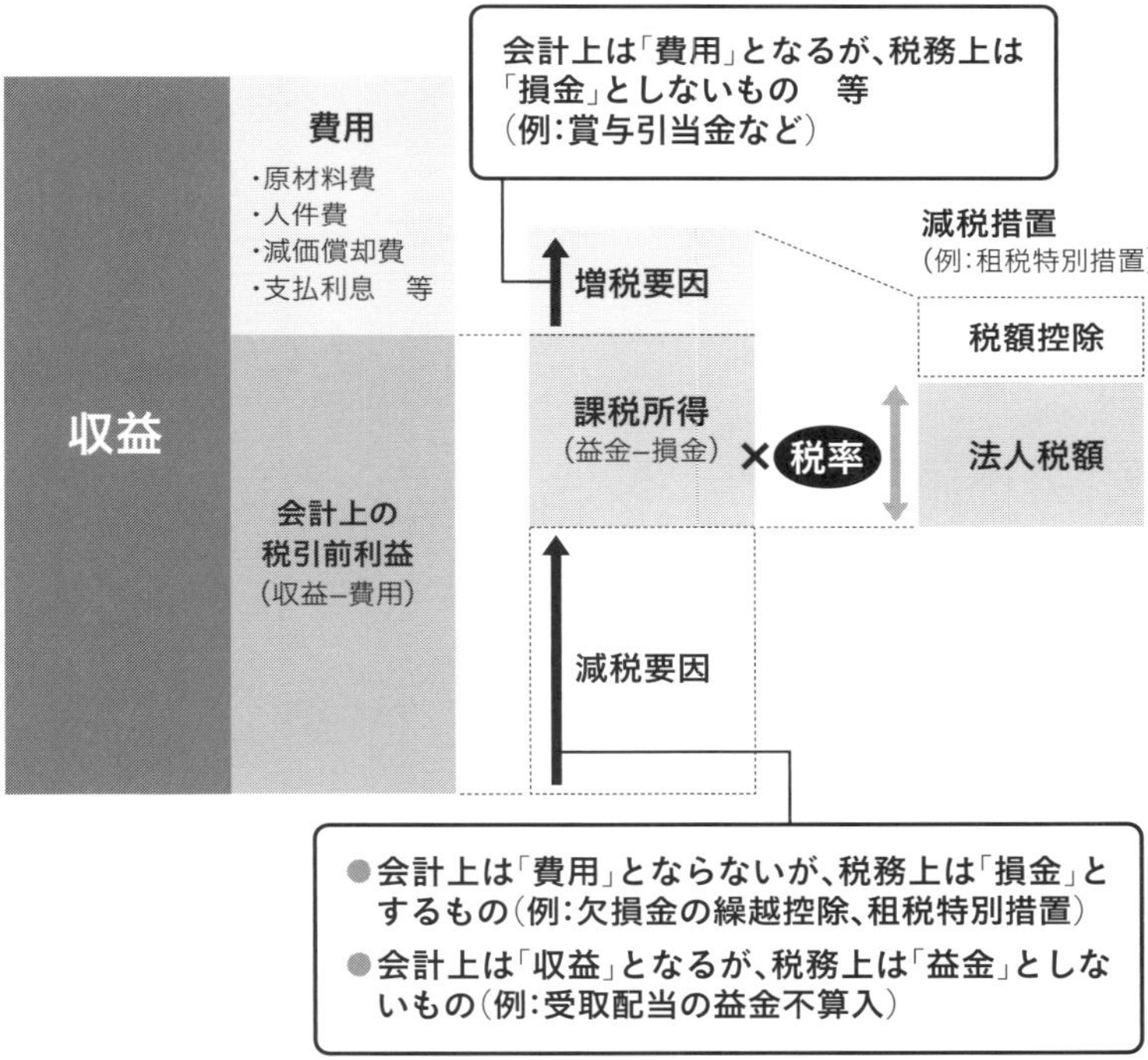

出所：財務省HP「法人税の課税ベース」より編集部作成

03
その他の税

法人税以外に会社が払う法人住民税・法人事業税

法人住民税と法人事業税は、いずれも地方税であり、課税庁は、法人の本社や支店、工場などが所在する地方自治体です。原則として事業年度終了後2カ月以内に申告して税金を納めます。税率は、標準税率を基準としながら各地方自治体が定めています。

法人税割と均等割から成る法人住民税

法人住民税は、法人の事務所等の所在する都道府県と市区町村が課す地方税です。都道府県民税と市町村民税の2種類（東京都23区は例外的に都民税のみ）があり、それぞれ、**法人税額を基準として法人が納める税金である「法人税割」と、すべての納税義務者が規模に応じて均等に納める「均等割」から成っています。**

法人税割は、「法人税額（税額控除前）×税率」で計算します。現在の標準税率は、資本金1億円以下で、かつ法人税額が年1000万円以下であれば、都道府県1％、市区町村6%です。資本金の額が1億円超または法人税額が年1000万円超の場合の制限税率は、それぞれ2%と8・4%です。均等割は、法人の資本金等の額とその事務所等の人員数によって税額が決まります。所得に対する課税ではないため、**赤字で所得がない期も納付しなければなりません。**東京都の税率は、次頁の表の通りです。

資本金額等により税率が変わる法人事業税

法人事業税は、事業を行う事務所等の所在する都道府県が課す地方税です。**法人税の所得金額に一定の調整をし、税率を乗じて所得割を計算**します（電気供給業、生命保険業等の場合、収入金額に対して課税）。法人住民税のような均等割はありません。

事業税の税率は、資本金の額や所得の大きさ、事業所等の数などによって変わりますが、東京都の場合、資本金1億円以下の法人は、3・5~7・48%です。資本金の額が1億円を超える法人の場合には、0・495~1・18%ですが、所得割のほかにも外形標準課税という別の課税があります（P21~23参照）。

なお、複数の地方自治体に事務所等を置いている法人の場合には、法人住民税の所得割も事業税の所得割も、法人の所得を事務所等の人員数などに基づいて各地方自治体に配分して税額を計算し、それぞれに対して申告納付します。

特別区内のみに事務所等を有する法人の均等割額

法人の区分等			主たる事業所等が所在する特別区（道府県分＋特別区分）	
			特別区内の従業員数	均等割額
公共法人、公益法人等			—	7万円
上記以外の法人	**資本金等の額**	1000万円以下	50人以下	7万円
			50人超	14万円
		1000万円超～1億円以下	50人以下	18万円
			50人超	20万円
		1億円超～10億円以下	50人以下	29万円
			50人超	53万円
		10億円超～50億円以下	50人以下	95万円
			50人超	229万円
		50億円超～	50人以下	121万円
			50人超	380万円

出所：東京都主税局「均等割額の計算に関する明細書（第6号様式別表4の3）記載の手引」より編集部作成

04
その他の税

住民税・事業税は大規模法人ほど負担増になる

期末時点の資本金の額が1億円を超える法人は、住民税の税率が高くなるほか、事業税については所得割以外にも、外形標準課税の負担が発生します。

資本金の差で住民税の税率が大幅アップ

先述のとおり、資本金の額が1億円超の場合の所得割の制限税率は、都道府県2％、市区町村8・4％であり、資本金1億円以下かつ法人税額が年1000万円以下の1％、6％と比べると、都道府県は2倍、市町村は4割増です。均等割も資本金等の額が1億円を超えると29万円～となり、**均等割で最も安い7万円と比べると4倍以上の差**となります。

赤字でも支払わなければならない外形標準課税

事業税の外形標準課税は、たとえ赤字で所得のない事業年度においても、納付する必要があります。外形標準課税は、付加価値割と資本割から成っており、それぞれの課税標準に税率を乗じて計算します。

付加価値割

付加価値割は、収益配分額と単年度損益の合計額です。収益配分額とは、次の3つの合計です。

①報酬給与額（報酬・給与等＋企業年金等の掛金）
②純支払利子（支払利子−受取利子）
③純支払賃借料（支払賃借料−受取賃借料）

単年度損益は、繰越欠損金控除前（P89〜90参照）の所得金額です。

付加価値割の税率は、東京都の場合、1・26％です。

資本割

資本割の課税標準は、資本金等の額（資本金、資本準備金などの合計額）です。東京都の場合、資本割の税率は0・525％です。

課税標準の内容

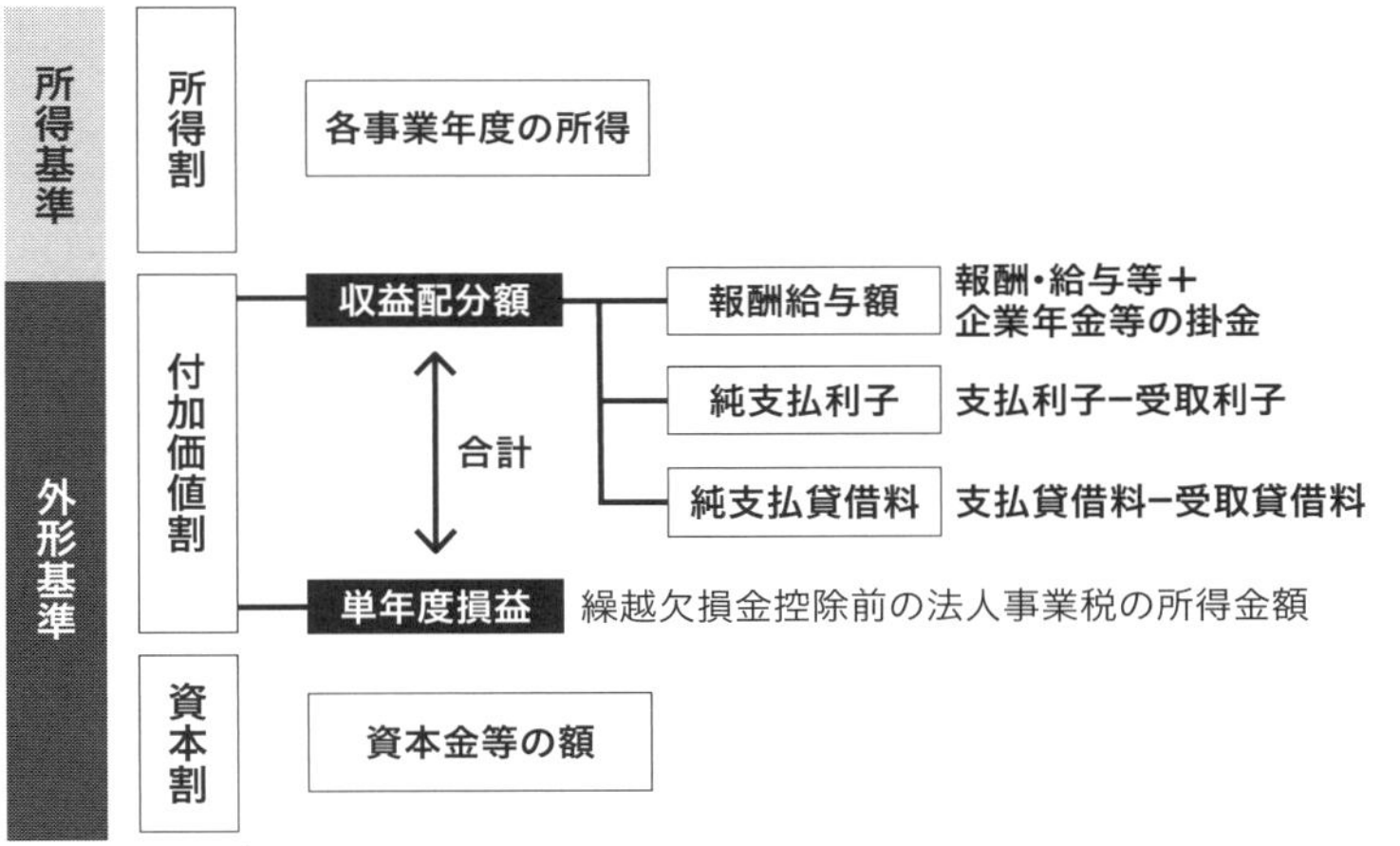

出所：東京都主税局「法人事業税に係る外形標準課税の概要」

地方税の負担を抑えるには？

事業税の外形標準課税と住民税均等割は、赤字の事業年度であっても負担しなければなりません。

地方税の負担だけを考えるのなら、資本金の額は**外形標準課税の対象とならない1億円以下**に、そして**均等割額を抑えるために資本金等の額をなるべく少額**にして抑えたほうがお得になることが多いです。

後のページで紹介しますが、資本金1億円以下の法人は、ほかにもさまざまな特典を受けることができます（P135～139参照）。

05

益金

益金になるもの益金にならないもの

会計の収益と法人税法の益金は、ほとんどイコールと思って問題ありませんが、例外的に、受取配当等（P186〜187参照）や資産の評価益（資産などの取得価格より時価が上回っており、経済的利益が出ているときの差額のこと）などについては、会計上の収益にはなりますが、法人税法上の益金にはなりません。

法人税法での益金の定義

法人税法で益金は、「資産の販売、有償又は無償による資産の譲渡又は役務の提供、無償による資産の譲受《ゆずりう》けその他の取引で資本等取引以外のものに係るその事業年度の収益の額とする」と規定されています。法律用語ではイメージがわきづらいと思うので、具体的な益金の勘定科目は次頁の図を参照してください。

なお、勘定科目のなかの雑収入科目は、いろいろな種類の営業外収益の取引に使われま

益金の勘定科目

- 売上
- 受取利息
- 為替差益
- 雑収入
- 有価証券売却益
- 固定資産売却益
- 保険解約益
- 補助金収入
- 債務免除益（P26〜27参照）
- 受贈益（P26〜27参照）

す。益金に該当するものとしないものが混在するので、申告時には中身をよく確認する必要があります。

益金の認識は「収益が実現したとき」

益金について気をつけなければいけないのが、益金を認識するタイミングです。

たとえば、「当期は利益が出すぎるから、取引先に交渉して入金を遅らせてもらって、翌期の売上にしよう！」といった認識時期の操作はできません。

益金を認識するタイミングは、「**収益が実現したとき**」が原則です。

たとえば、物の引き渡しをする取引であれば取引先に納品した日、役務の提供をする取引であれば役務提供を完了した日に、収益の実現があったものとして、益金として認識しなければなりません。

06 益金

お金のやり取りがなくても益金になる

取引先への売上などについては、実際にお金の流れがあるため、もれなく把握することは難しくありませんが、気をつけなければならないのが、**お金のやり取りの発生しない取引**です。

金銭のやり取りがなくても、法人が経済的利益を受けている場合は、その価値を益金としなければなりません。

経済的利益として益金に該当するもの

金銭の授受がなくとも、経済的利益として、次のようなものが考えられます。

①無料で資産をもらった

資産の時価が受贈益《じゅぞう》となり、益金を認識しなければなりません。

たとえば、時価100万円の中古車を無料でもらった場合、100万円を受贈益（同時に車輌運搬具100万円資産計上）としなければなりません。

②低額で資産を譲り受けた

時価よりも低い金額で資産を譲り受けた場合には、資産の時価と支払った金額との差額が、経済的利益として益金とすべき受贈益です。

たとえば、時価100万円の中古車を30万円で譲り受けた場合、差額の70万円を受贈益（同時に車輌運搬具100万円資産計上）としなければなりません。

③債務を免除してもらった

支払義務を免除された借入金や未払金、買掛金などの債務の額が、債務免除益として益金となります。

④無利息の貸付金

たとえ貸付金の利息を受け取っていなくても、相手には無利息という経済的利益を供与しているため、貸し付けている側で受取利息相当額を益金として認識します。

資産をもらった場合など、通帳等に入金記録が残らないような取引は、益金として認識することを忘れやすいため注意が必要です。「法人に何らかの利益をもたらす行為は、金銭の授受がなくても益金となる」と理解しておくと、もれなく取引を把握できるはずです。

07 益金

一定の海外子会社の利益も益金になる

国内に子会社がある場合、親会社の所得と子会社の所得を合算することは、グループ通算制度を選択しない限りありません。**子会社であっても別会社なので、会社単位で納税をする**ことになります。仮に親会社が子会社に所得を付け替えたとしても、親会社の税金が減って子会社の税金が増えることになるので、全体でみると影響はありません（寄附金として取り扱われる可能性もあります）。

海外との取引等には注意が必要

しかし、海外子会社の場合、そうはいきません。日本法人が海外子会社に利益を付け替えた場合、日本法人の税金が減り海外子会社の税金は増えることとなり、日本の税収が少なくなってしまうためです。

ケイマン諸島やバミューダ諸島では法人税自体が存在しないため、税率０％が可能になります。日本であれば最大で約33％の法人税等が課せられるので、天と地ほどの差が生ずることになります。こういった国または地域に法人を設立して所得を付け替えることによって、結果として日本の法人税を減らすことができてしまうのです。

その対策として設けられている制度が「タックスヘイブン対策税制」です。この税制の適用を受けると、海外子会社の所得の全部または一部を日本法人の所得として取り扱います。そうすると、**付け替えた分の所得が戻ってくることになり、税収減を防ぐことができます**。安易に「税率が低いから」といって海外法人を設立し、そこに所得を付け替えたとしても、結局は日本法人の所得とみなされてしまうので、注意が必要です。

ただし、当該国または地域でビジネスをする経済的合理性がある場合は、タックスヘイブン対策税制の適用を受けません（部分的に受けるケースもあります）。あくまで、税金逃れのために海外子会社を設立した場合に適用される規定といえます。

また、海外関連企業に通常よりも安い価格で商品を卸したり、逆に海外関連企業から高い価格で商品を購入したような場合、適正な金額との差額を日本法人に加算する「移転価格税制」と呼ばれる税制もあり、国内における子会社間の取引よりも厳しく取引価格をチェックされます。移転価格税制により否認された金額は、加算社外流出項目として取り戻すことができなくなってしまうので、十分に注意して取引価格を決定しましょう。

08 損金

損金になるもの 損金にならないもの

会計の費用と税務の損金は一致するものがほとんどですが、なかには異なるものもあります。

これらの判断にあたっては、領収書や請求書等に記載されている名称や会計上の勘定科目ではなく、取引の実態などをみて判断する必要があります。

不一致が生じる代表例

①交際費等および寄附金

交際費等とは、取引先などの事業関係者に対する接待や贈答などの行為にかかる支出をいい、寄附金とは、金銭や経済的利益の無償の供与をいいます。税務上、どちらにも損金算入限度額が定められており、**限度額を超えたところからは損金となりません。**

上限なく交際費等や寄附金の損金算入を認めてしまうと、儲かる企業が多額の交際費等や寄附金を計上して、不当に税負担を免れる可能性があるため、このような制度が設けられています。

②役員報酬・役員賞与

役員報酬は、社長自身が自分の給与を決めることができるため、会社の利益操作に使われやすい費用です。たとえば、期末が近付いてきたときに「今年は利益が５０００万円もでるから、その分社長に特別ボーナスを出そう！」などといって役員報酬が損金となってしまうと、国としてはたまりません。

そこで、会社が好きなように役員報酬を改定して、法人税の負担を不当に免れたりすることのないように、税法上のルールが厳しく定められています。

役員報酬を損金とするためには、「毎月同額でなければならない」などの要件を守りながら、役員報酬を決定する必要があります（Ｐ１００〜１０１参照）。

③税金

法人税や住民税は損金になりません。また、延滞税や加算税などのペナルティも損金となりません（Ｐ36〜37、Ｐ２２８〜２３４参照）。

④減価償却費

固定資産を購入した場合、その全額を購入した事業年度の費用とすることは原則できず、資産の種類ごとに**定められた耐用年数に応じて毎期少しずつ費用化**します。

税務のルールに従って、会計の減価償却費を計上することが一般的ですが、会社独自の償却ルールや国際会計基準などを採用している場合は、会計と税務で乖離が生じます。

たとえば、１００万円の固定資産を購入し社内独自ルールの２年で償却し、50万円を減価償却費として計上したとします。一方、税務上の耐用年数は5年であったとすると、税務上の償却限度額は20万円となります。その結果、償却限度額を超えた部分である30万円については損金にならないということになります。減価償却については、P81〜83で詳しく紹介します。

⑤引当金《ひきあてきん》繰入《くりいれ》

引当金とは、**将来発生する費用のうち、当期に帰属する金額を見積もって、その概算額を当期の費用とする**ものです。

会計上は、貸倒《かしだおれ》引当金、賞与引当金、退職給付引当金、修繕引当金、ポイント引当金などさまざまなものがあり、業界独自の引当金を設定することもあります。

税務上は、引当金のような概算経費を損金とすることには非常に慎重です。貸倒引当金などごく一部しか認められておらず、要件や計算方法も厳しく定められています。

税務上の要件を満たさない引当金や、税務に定めのない引当金は、その繰入《くりいれ》額が損金不算入となります。

⑥**期ズレ**

「期ズレ」とは、**売上や経費などが計上されるべき年度とは違う年度で計上すること**です。支払いが期をまたいでしまう場合は、会計上、期末に未払金を計上し、当期の費用として処理します。このような費用が税務上も損金となるかどうかは、個別に検討する必要があります。税務上の販売費および一般管理費は、**債務確定基準によって損金算入が可能かどうかを判断**します。債務確定基準とは、次の3つの要件を期末までにすべて満たすものをいいます。

- **債務が成立している**
- **具体的な給付をすべき原因となる事実が発生している**
- **金額を合理的に算定できる**

これらすべての要件を満たした場合、損金とすることができますが、そうでない場合は、概算経費のような扱いになり、損金不算入となります。

税務のほうが会計よりも損金化に慎重であり、タイミングが遅くなることがよくあります。

会計上の費用≒税務上の損金

一致しない
可能性のあるもの

- 交際費等
- 寄付金
- 役員報酬・役員賞与
- 租税公課
- 減価償却費
- 引当金繰入
- 期ズレ
- 評価損　など

⑦評価損

物価変動や市況の変化などによって、棚卸資産や有価証券、固定資産などが取得した当初よりも価値が下がった場合、会計上「評価損」を計上することがありますが、税務上認められる評価損はごく一部に限定されています。

たとえば、棚卸資産や固定資産であれば、災害等によって著しく損傷した場合などには損金とすることができますが、**物価変動等によるものは損金とすることができません**。

以上のようなものは、費用と損金の不一致が生じる代表例です。不一致になるもののほうが、一致するものよりも数が少ないため、不一致になるものを覚えておけば問題ありません。「税務（損金）のほうが、会計（費用）よりも損金の認識基準が厳しい」と覚えておくとわかりやすいでしょう。

費用系の勘定科目一覧

勘定科目	内容
仕入高	商品の仕入代金および付随費用
役員報酬	役員に支払う報酬
給与手当	従業員に支払う給料
賞与	従業員に支払うボーナス
雑給	アルバイトやパートに支払う給料
法定福利費	会社負担の厚生年金や健康保険、雇用保険、労災保険など
福利厚生費	慰安などの福利厚生
消耗品費	10万円未満の物品の購入
事務用品費	文房具など事務用品の購入
地代家賃	本社や店舗、駐車場などの賃借料
賃借料	レンタル料など物品の賃借料
保険料	生命保険や損害保険の保険料
修繕費	資産の修繕
租税公課	印紙税や自動車税、固定資産税など
減価償却費	固定資産の償却費
旅費交通費	電車代やバス代、タクシー代など
通信費	電話代や切手代、インターネット利用料、宅配便代など
水道光熱費	電気代や水道代、ガス代など
支払手数料	専門家への報酬など
外注費	外部業者への業務委託料など
広告宣伝費	ホームページや看板などの宣伝
接待交際費	得意先の接待など
寄付金	寄付金、拠出金、見舞金などの無償の供与
会議費	打ち合わせの会場費、飲食代など
引当金繰入	将来の債権の貸倒れや退職金の支払いのための引当
新聞図書費	新聞、雑誌代など
雑費	他の勘定科目に当てはまらない少額な費用
支払利息	借入金の利息など
法人税、住民税および事業税	法人税、法人住民税、法人事業税など

09
損金

法人税・法人住民税は損金にならない

法人が税金を支払った場合、会計上、租税公課勘定や法人税、住民税および事業税勘定によって費用として経理しますが、税務上は損金になるものとならないものがあります。損金にならない税金は、もちろん還付された場合も益金になりません。

損金になる税金とならない税金

法人税や法人住民税は損金になりません。また、延滞税などのペナルティや罰金および過料なども損金となりません。これに対し、法人事業税や利子税、事業所税、固定資産税、不動産取得税、自動車税、延滞金（納期限延長の場合のみ）などは損金となります。

これらのほかにも、法人が納付する税金はいくつもありますが、税法には「損金とならないもの」が限定的に列挙されているので、記載のないものは損金になります。

法人事業税や事業所税などの申告納税方式のもの（法人が自主的に申告して納付する課

損金になるものとならないもの

項目	損金
法人税	×
法人住民税	×
法人事業税	○
所得税（法人税から控除または還付）	×
所得税（上記以外）	○
酒税	○
利子税	○
国税ペナルティ関係	×

項目	損金
事業所税	○
固定資産税	○
不動産取得税	○
自動車税	○
ゴルフ場利用税	○
軽油取引税	○
地方税ペナルティ関係	×

出所：国税庁HP「損金の額に算入される租税公課等の範囲と損金算入時期」より編集部作成

税方法）の場合は、原則として申告書を提出した事業年度に損金となります。固定資産税や不動産取得税、自動車税などの賦課課税方式（課税庁が税額を計算して納税者に通知してくる課税方法）の場合は、賦課決定のあった事業年度に損金となります。

また、損金となる税金について、課税庁による更正や決定などがあった場合には、更正や決定があった事業年度に損金となります。

損金となるタイミングについては、原則として「税額が確定した日の属する事業年度に損金となる」と考えておくとわかりやすいでしょう。

10 期ズレ

節税は本当に税を〝節約〟しているのか

税金は、「利益×〇％」という方式で課税されるので、利益を少なくすることが節税であると定義するのであれば、利益を減らすためにどんどん経費を使えばいい（損金を増やせばよい）だけのことです。

しかし、貴重な会社の資金を使って、不要なものやサービスを購入して経費を増やすというのは本末転倒です。本当に必要なものを計画的に購入して経費を増やし、結果、税金を少なくするというのが真当な節税であるといえるでしょう。

「経費が増える＝節税」ではない

さて、ここで本題ですが、不要なモノを買うという行為は、本当に税を節約しているのでしょうか。もちろん、経費が増えているので当期の税金は少なくなります。ですが、必要な経費を入れただけなので、その経費を含めた利益がその年度の適正な利益だと考えると、これに対して税金がかかることは至極当たり前のことです。

つまり、必要なものを購入したことで税金が少なくなったのではなく、**その結果としての利益に対して、通常どおりの税金が課せられた**だけです。したがって、この行為は税を節約しているとはいえません。

次に考えられるのは、翌期以降の費用を先取りして当期の費用に入れるというものです。たとえば、翌期首に100万円使う予定があるのであれば、それを当期末に使ってしまえば当期の利益を100万円減らすことができます。

これは一瞬もっともな節税と思われるかもしれません。ですが、当期の費用が100万円増える代わりに、翌期の費用は100万円減ることになるので、当期の税金は少なくなりますが、翌期の税金は増えることになります。つまり、当期と翌期の2年間合計では納税額は変わらないことになります。

このように、未来の経費を先取りして当期の経費にし、翌期以降その経費を計上できないため、結果としてその期間の納税額が変わりません（期ズレ）。期ズレは手軽に当期の納税額を減らすことができる手法ではありますが、結果として1円の税金も節約していないのです。

11

本当の節税

本当に節税できる項目はごくわずかしかない

一般に節税手法と呼ばれるもののほとんどが期ズレになります。インターネットで「節税策」と検索してみると、不動産関係・保険関係の広告がたくさん出てきます。不動産や保険は節税商品との認識が強いかもしれませんが、これらは紛れもない期ズレです。翌期以降の費用の一部を当期に先取りしているに過ぎません。

ただし、これらの商品は年度末であっても一気に多額の費用を計上することができるので、当期の税金を少なくするという視点でみると、優れた商品であるといえるかもしれません。ですが、費用として支払った金額以上に税金を少なくすることはできないので、結果としてキャッシュ・フローは悪化することを忘れないようにしてください。

本当に節税できる項目

それでは、当期の税金を少なくし、かつ将来的にも取り戻されない「本当に節税できる」

項目にはどういったものがあるのでしょうか。代表的なものでは、次のようなものが挙げられます。

①青色申告（P89～91参照）
②旅費規程の策定（P92～94参照）
③社宅規程の策定（P95～97参照）
④各種税額控除（P98～99参照）
⑤消費税の簡易課税（P１２８～１３０参照）

細かい解説は該当箇所に譲りますが、これらについてはできる限り取り入れたい節税策となります。事業者によってはすべてを取り入れることができないケースも考えられますが、数が少ないのでできるものはすべて取り入れておくことをおすすめします。**これらを実行するだけでも数百万円単位の節税になることもあります**。期ズレと違い、取り戻されることもありません。

また、一言に節税といっても、それが法人税なのか所得税なのか、はたまた消費税なのかによって手法が異なります。見落としがちなものでいうと、印紙税などは文書の書き方によって税額が異なってくることがあるので、書き方をひと工夫するだけで節税できる

期ズレをしても費用の合計は同じであるしくみ

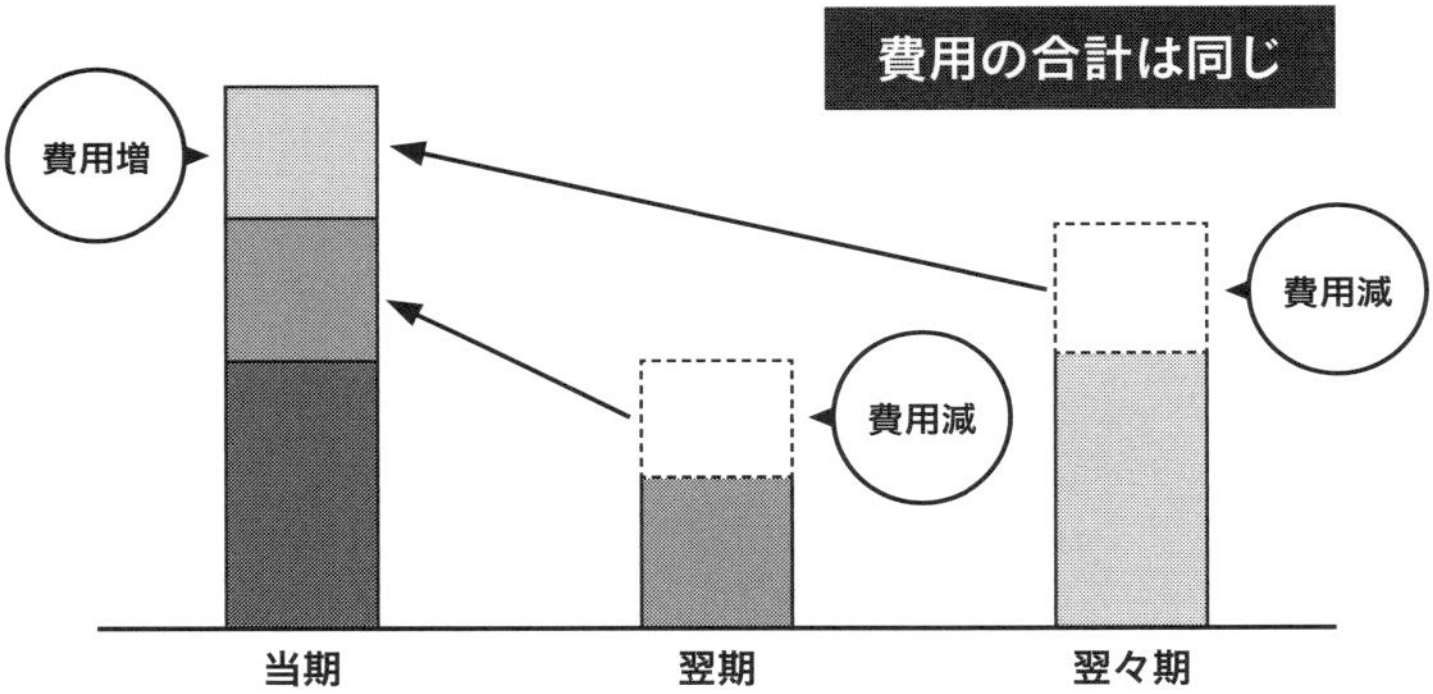

ケースもあります（P202〜203参照）。

法人税、所得税、消費税どれかひとつだけでも偏ってしまうので、あらゆる税目に着目する必要があります。たとえば、消費税が少なくなったことで法人税・所得税が増えるというケースもあります。もっといえば、法人の価値を高めたことによって、相続税が上がってしまうというケースも考えられます。

すべての税目はリンクしているので、「木を見て森を見ず」といった状況になってしまわないよう、本書を通して、各種税金のつながりを少しずつ理解していきましょう。

12 損金処理

経費を計上する時期
決算の駆け込み需要は正解？

「決算の駆け込み需要」という言葉があります。考え方としては経費の前倒しと同じなのですが、モノの場合はまとまった金額になるので、インパクトも大きくなります。飲み会であれば1回で数万円しか経費になりませんが、モノの場合は百万円単位で経費になる場合もあるでしょう。そういう意味では、理にかなっている手法といえます。

不要なモノを買って経費を増やすのは愚の骨頂

ただし、不要なものを購入しても何の意味もありません。ただ単に経費を垂れ流しているのと何ら変わりありません。であれば、買わないほうが余程よいでしょう。

よく見られるケースにパソコンの購入がありますが、パソコンは大抵1台か2台は所有しているでしょうし、今すぐ使えなくなるようなことも少ないでしょう。それであれば、無理して当期に購入せず必要な時期に購入したほうがよいでしょう。いずれにせよ、購入

経費にできる額

①10万円以上20万円未満の資産	3年間の定額で経費にできる(月割なし)※1
②10万円以上30万円未満の資産	一括で経費にできる(年間300万円限度)※1※2

※1 消費税については、税抜経理の場合は税抜金額、税込経理の場合は税込金額
※2 一定の中小企業者だけの特典。対象となる中小企業者は①と②を任意で選択できる

した年度で経費にできますし、期ズレのため税額にも影響は与えません。

なお、資産を購入する際に注意しなければならない点があります。**購入価格が10万円以上の場合、基本的には一括で経費にすることができません。**減価償却といわれる方法により数年間かけて経費にしていくことになります。なお、減価償却は月割で計上するので、期末日の属する月に購入したような場合は1年分ではなく1カ月分しか経費にできません。たとえば4年で経費にするパソコン24万円を期末に購入した場合、その年度の経費にできる金額は、「24万円÷4年÷12カ月」となり、わずか5000円しか経費にできないことになります。無理してパソコンを購入して5000円しか経費にできないのであれば、効果はないに等しくなってしまうので注意してください。

ただし、購入価格が30万円未満であれば一括で経費にできることもあるので、表を参照してください。

13

本当の節税

本当に節税できる項目に注力する

節税には将来的に取り戻されてしまう期ズレと、取り戻されない本当の節税があるという話をしました。将来的に会社に残るお金を最大化するためには、この本当の節税に注力しなければならないということがわかるでしょう。会社が存続している限り使える方法なので、積極的に取り入れるようにしましょう。

ここで、代表的な本当の節税を再掲します。次のページの表を参照してください。

どの節税方法が使えるか専門家に相談を

青色申告はほとんどの方が利用していると思いますが、規程については作っていない法人が驚くほど多いです。専門家に相談してなるべく早く策定したほうがよいでしょう。

また、税額控除については、まずは制度を知ることから始めないといけないので、取りこぼしがないよう、これについても専門家に相談することをおすすめします。

本当の節税法

青色申告	すべての法人・個人が適用できる
旅費規程	すべての法人が適用できる
社宅規程	すべての法人が適用できる（持ち家の場合は適用できない）
各種税額控除	ケースバイケース
簡易課税	課税売上高5000万円までの法人・個人が適用できる

消費税については、そもそも免税の期間を長くすることが一番の節税ですが、法人設立初期にしか使えませんし、インボイス制度も始まるため、該当する会社は少ないでしょう。簡易課税も、課税売上高が５０００万円までという縛りがあるので、業種によってはまったく該当しない場合もあります。該当するならどちらが有利かを判定する程度の認識でよいでしょう。

本当の節税は数も少ないですし、そもそも該当しないということもあるかと思いますが、該当するのであればその効果は絶大です。まずは専門家に相談して、自社に該当するものがあるのかを確認してみてください。自己判断で行うことはあまりおすすめできません。

保険などに代表される期ズレとは違い、目先の税金を圧縮する効果はそこまで高くありませんが、未来永劫節税することができる方法なので、積極的に取り入れたいものです。

14
期ズレ

最終的に税金は減らない 期ズレは最低限に抑える

保険に代表される節税商品はそのすべてが期ズレであるというお話をしました。期ズレはいつかは取り戻されます。一時に多額の経費を計上できるのはとても魅力的ですが、最終的に税金は1円も減っていません。もちろん、期ズレには期ズレのメリットもあります。ここで期ズレのメリット・デメリットを確認していきましょう。

期ズレのメリット

まず、期ズレのメリットについてです。次の2つが挙げられます。

①保険などを使えば、多額の経費を計上することができる
②当期の税率を下げられる可能性がある

やはり、目先の税金を減らせるという点が精神衛生上よいと思います。必要な経費や資

産の購入であれば先取りしてしまってもよいでしょう。ただし、先取りしてもよいかどうかは入念に検証してください。

また、法人税の税率は、課税所得800万円以下については15%、それを超えると23・2%になります。そのため、期ズレを利用して課税所得を800万円以下に抑えることができれば、低い税率で納税することができます。

期ズレのデメリット

続いて、期ズレのデメリットは次の3つが挙げられます。

①最終的には1円の税金も減らすことができない
②税務調査時に印象が悪くなる可能性もある
③資金繰りが悪くなる

期ズレは将来取り戻されるので、支払う税金は期ズレを取っても取らなくても同じです。無理に期ズレを取りにいくのはおすすめできません。また、払った金額以上に税金が少なくなることはないので、結果として資金繰りは悪化します。資金繰りをよくするための節税のはずが、かえって資金繰りを悪化させていたのでは本末転倒です。

15
税制度

2023年10月施行 消費税のインボイス制度

消費税のインボイス制度は仕入税額控除を受けられる

インボイス制度とは、2023年10月1日に施行される新しい税制度のことで、正式名称は「適格請求書等保存方式」といいます。この税制度が施行されると、支払側の企業において「適格請求書」の保存がない場合、仕入税額控除が受けられません。つまり、**「適格請求書」を保存することを条件に、支払側の企業は仕入税額控除を受けることができる制度**なのです。

具体的な数値で説明しましょう。

ある法人が税込み2万2000円で仕入れたものを、税込み3万3000円で売ったとします。仕入れ額の2万2000円のうち、2万円が仕入、2000円が仮払消費税です。売上に係る消費税は3000円ですが、2023年9月30日までは、受け取った請求書を保存することで2000円を控除できるので、結果として3000円－2000円＝1000円を納税することになります。

しかし、2023年10月1日以降は、今までの請求書の記載事項に加え、請求書を発行する側の「適格請求書発行事業者登録番号」などの記載が必要となるのです。

この適格請求書発行事業者登録番号の記載がない場合、2000円の仮払消費税を控除することができず、3000円－0円＝3000円を納付しなければならなくなってしまいます。

適格請求書発行事業者登録番号は誰が取得するのか？

適格請求書発行事業者登録番号とは、会社が税務署長に登録申請書を提出することで通知される番号のことです。

仕入税額控除を受けるためには、発行された請求書に番号が記載されている必要があるため、請求書を発行する側が適格請求書発行事業者登録番号を取得しなければなりません。

請求書にこの番号の記載がないと、支払側の企業が仕入税額控除を受けることができず、不利益を被ることとなります。

免税事業者が課税事業者になると損することもある

それでは、支払側が不利益を被らないように、請求書を発行する側が適格請求書発行事業者登録番号を取得すればよいのかというと、そうではないケースも発生します。

適格請求書発行事業者登録番号を取得した事業者は、**強制的に消費税の課税事業者となり、消費税の申告が必要**になります。今まで免税事業者として消費税の納税が免除されていた事業者については、適格請求書発行事業者登録番号を取得することで、支払側には不利益が被らないようになったものの、自らの会社は消費税の納税が発生することになってしまうのです。では、どのように対応すればよいのでしょうか。

現時点で、自分の会社がすでに課税事業者の場合、支払側に不利益が被らないよう早めに「適格請求書発行事業者登録番号」を取得しましょう。登録の申請は、２０２３年３月31日までとなっているので、気をつけてください。

一方、現状で免税事業者の場合、次のような検討が必要です。

①取引先に原則課税で消費税申告をしている事業者がいる

適格請求書発行事業者登録番号を取得したほうがよいかと思います。ただし、取引先が原則課税で消費税申告をしているかどうかはわからないケースが多いと思いますので、取引先に法人や個人事業主がいる場合は、基本的に適格請求書発行事業者登録番号を取得するとよいでしょう。

インボイス制度に対する業者の対応

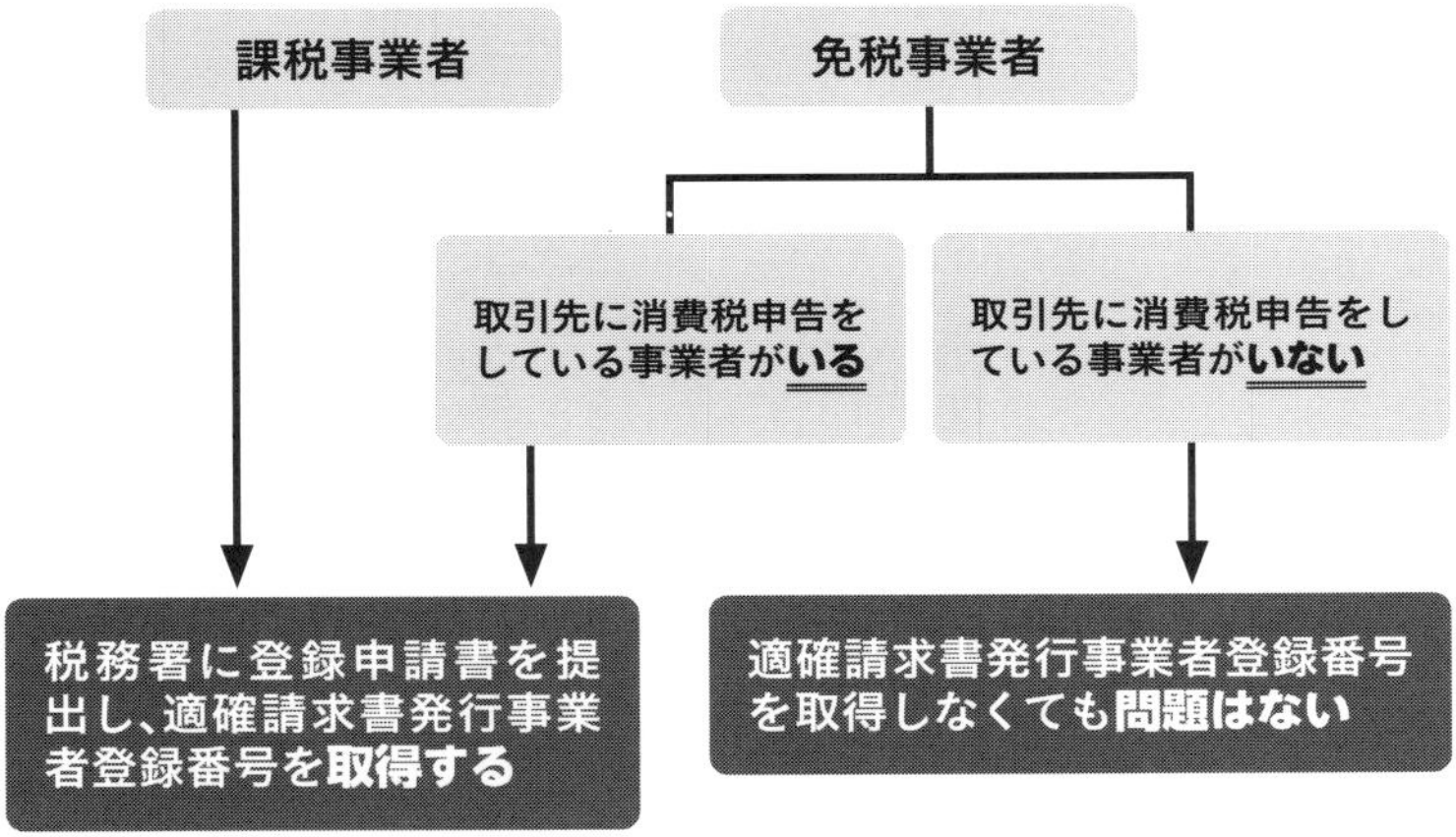

②取引先に消費税申告をしている事業者がいない

取引先が一般消費者のみの場合など、①に該当する事業者が一切いないという場合は、適格請求書発行事業者登録番号を取得しなくても理論上は問題ありません。

インボイス制度自体は節税と直接的な関係はありませんが、対応を怠ると相手側に迷惑がかかる可能性もあるため、正しく理解しておきましょう。

16
税制度

改正された電子帳簿保存法

書類を電子データで保存する

「電子帳簿保存法」とは、税法で保存が義務づけられている帳簿・書類を電子データで保存するためのルールを定めた法律のことです。

この電子帳簿保存法は２０２２年1月に大幅な変更がありました。主に「電子帳簿等保存義務」、「スキャナ保存」、「電子取引データ保存」の３つから成るので、それぞれ順番に内容を確認していきましょう。

電子帳簿等保存

「電子的に作成した帳簿・書類をデータのまま保存」することです。会計ソフト等で作成した帳簿や決算関係書類などを電子データのまま保存することを指します。これは義務ではなく、会社の判断で、紙での保存、またはデータでの保存を選択できます。

スキャナ保存

「紙で受領・作成した書類を画像データで保存」することです。取引先などから受け取った紙の請求書や領収書などを、スキャニングして保存することを指します。こちらも義務ではありませんので、紙保存のままでも問題ありません。

電子取引データ保存

「電子的に授受した取引情報をデータで保存」することです。領収書や請求書をデータでやりとりした場合には「電子取引」に該当し、データのまま保存しなければなりません。ネット通販の領収書や、メールに添付された請求書などが該当します。これらについては、紙に出力して保存することが認められなくなりましたので注意が必要です。ただし、2023年12月末までは紙での保存も可能です。

電子データ改ざん防止の対策をする

帳簿や書類を電子データで保存すると、書類の保存スペースが減るため、生産性向上をはかる上でとても有益といえるでしょう。しかし、電子データの保存には気をつけなければならない点があります。それは「改ざん」です。そのため、**改ざん防止などの対策として、データの保存には次のような要件を満たす必要があります。**

①システム概要に関する書類の備え付けを行う
②見読可能装置の備え付けを行う
③検索機能の確保をする
④データの真実性を担保する措置をとる

①は、会計ソフトなどのマニュアルを保管することで解決します。
②は、データを確認するためのPCやソフトを管理しておくことで要件を満たします。
③は、保存するデータを「取引年月日」「取引金額」「取引先」などの条件によって検索できる状態にしておく必要があります。
④は、次のいずれかの対応が必要になります。

・タイムスタンプが付されたデータを受け取る
・データに速やかにタイムスタンプを押す
・データの訂正や削除が記録される、または禁止されたシステムでデータを受け取って保存する
・不当な訂正削除の防止に関する事務処理規程を整備、運用する

電子データを安全に保存するために、さまざまな対応をしていきましょう。

17

保険

「節税保険」に規制　保険料を全額経費にできない

解約返戻率が50％を超える保険に規制が入った

「法人向けの保険商品に加入して節税」――経営者なら誰しもが耳にしたことがあるのではないでしょうか。いわゆる「節税保険」と呼ばれ、保険料を支払うとその何割かを経費にでき、節税になるというものです。反対に、保険を解約して解約返戻金を受け取ると課税されるため、単なる「課税の繰り延べ」となります。ところが、解約返戻金を受け取る際、退職金など多額の経費を発生させることで、「解約返戻金への課税を回避する」というスキームが横行しました。

節税保険は「多額の損金算入！　実質返戻率１００％以上！」などという触れ込みで販売され、一時は保険市場の30％のシェアを占めていたといわれるほど人気がありましたが、過度の節税や保険会社の販売競争の過激化を問題視され、２０１９年の税制改正により規制されたというわけです。これまでの節税保険のしくみを整理してみましょう。

①中途解約を前提に、解約返戻率が80％を超える保険に加入
②保険料を支払った時に経費とすることで利益を圧縮し、法人税等を減額させる
③解約のタイミングに合わせて多額の経費を計上し、解約返戻金と相殺

解約返戻率が高い保険商品ほど多額の経費を計上できるため、節税対策として人気があったわけです。しかし、今回の改正により、**最高解約返戻率が50％を超える定期保険（逓増定期保険、長期平準定期保険など）と第三分野商品（医療保険、がん保険など）の2種類が、規制対象になりました。**

ピーク時の解約返戻率が50％を超える保険商品は、支払った保険料の一部を会社の資産として計上をしなければならず、保険料の全額を経費にできなくなったのです。一部を資産として計上するため、解約返戻金が戻ってきたタイミングにおける課税額は少なくなるものの、**突発的な利益が生じたときに「課税の繰り延べ」をしたい会社にとっては痛手となる規制といえるでしょう。**

一方で、資産計上後に一定期間を経過すると、資産計上額の取り崩し（経費化）が認められるので、長期的に考えると「課税の繰り延べ」の恩恵を受ける余地はあるといえます。

定期保険の4つの区分と概要

最高解約返戻率	資産計上期間	資産計上額	取り崩し期間※1
50%以下	全額		
50%超～70%以下※2	保険期間開始から40%を経過するまで	支払った保険料の40%（残りの60%は損金計上）	保険期間開始から75%経過後、保険期間終了の日まで
70%超～85%以下	保険期間開始から40%を経過するまで	支払った保険料の60%（残りの40%は損金計上）	保険期間開始から75%経過後、保険期間終了の日まで
85%超	保険期間開始～最高解約返戻率を迎える期間等まで	年間支払保険料×最高解約返戻率×90%（10年目まで）	解約返戻金相当額が最も高い金額となる期間等経過後から、保険期間の終了の日まで
		年間支払保険料×最高解約返戻率×70%（11年目以降）	

※1 残りの保険契約期間の年数に応じて、均等に分けること
※2 1年間に支払った保険料が30万円以下の場合は全額を損金に計上

↓

支払い時に全額損金処理できる金額が少なくなった

名義変更プランも規制の対象になった

かつては法人名義の保険を個人名義に切り替えて所得税を抑える「名義変更プラン」もありました。「解約返戻金相当額で法人から個人に名義変更」、「解約返戻金のピークで解約し、一時所得の恩恵を受ける」。この2点が名義変更プランのポイントですが、具体的には次のようなしくみとなっています。

①法人で低《てい》解《かい》約《やく》型《がた》逓《てい》増《ぞう》定《てい》期《き》保《ほ》険《けん》に加入する
②解約返戻金の価格が低いときに解約返戻金相当額を支払い、法人から個人に名義変更（売却）をする
③名義変更をした後、解約返戻金のピークで解約し、個人で一時所得の控除を受ける

これまでは、法人から個人への名義変更時に低額の解約返戻金相当額を法人に支払いさえすれば、個人として一時所得の恩恵を受けながら解約返戻金を受け取ることができました。しかし、**改正により「名義変更時にはピーク時の解約返戻金で名義変更（売却）しなければならないとされ、個人から法人に多額の金額を支払う必要が出てきたため、実質的に名義変更プランにも規制がされたといえます。**保険加入は慎重に行いましょう。

18
納付

キャッシュレス納付で仕事の効率化を図る

インターネットでも納税が可能になった

納税というと、金融機関の窓口に並んで行うというイメージがとても強いのではないでしょうか。2019年度の実績では、約67％が金融機関の窓口での納付となっていますので、この方法がまだまだ主流といえます。

実際に経験したことのある方はわかると思いますが、金融機関の窓口での納付は、待ち時間が長く、会社から金融機関までの往復移動時間などを加味すると、1日の半分を要することもあるでしょう。

金融機関窓口納付以外では、税務署での納付が約3％、コンビニ納付が約5％となり、これらを合わせた対面型の納付が約75％となっています。

近年は、納税方法が多様化しており、さらに新型コロナウイルスの影響も相まって、非対面のキャッシュレス納付が進んでいますが、その割合は約25％に留まっています。そこで、行政側も社会全体のコスト縮減のため、非対面のキャッシュレス納付を推進し、その割合を２０２５年度までに40％とする目標を立てています。

非対面のキャッシュレス納付は、直接的な節税につながることはありません。しかし、納付のための時間を短縮し、その時間を営業活動などに充てることで、間接的に会社利益の増大に貢献することになります。キャッシュレス納付の種類とその方法について、具体的に説明をしていきます。

①ダイレクト納付

税務署や地方自治体に届け出た口座から引き落とす方法です。国税の場合はｅ－Ｔａｘ、地方税の場合はｅＬＴＡＸへログインし、期日を指定して引き落としをかけます。この手続きは、電子申告したあとの流れで税理士事務所側でも操作が可能なため、税理士に任せることもできます。もちろん、ご自身で納税手続きをすることも可能です。

②インターネットバンキングによる納付

インターネットバンキングを利用して納付する方法です。インターネットバンキングの契約をしていれば、サイトにログイン後、「ペイジー」というボタンを押し、所定の番号を入力すると納付額が自動的に表示され、そのまま納付できます。この番号は申告ごとに変更されるため、その都度、税理士事務所側から教えてもらいます。インターネットバンキングへのログインはクライアント側でないとできないため、実際の納付手続きはクライアント側で行うことになります。

③クレジットカード納付

国税庁長官が指定した納付受託者である、トヨタファイナンス株式会社が運営する国税のクレジットカード納付専用のサイト（https://kokuzei.noufu.jp/）から納付する方法です。支払者情報、税目、税額などを入力して納付を行います。インターネットバンキングによる納付は、所定の番号を入れると税額が自動的に表示されるため、入力が正しいことが確認できましたが、クレジットカード納付の場合は、基本的に税額も手入力のため、誤送金してしまう可能性があります。誤った納付手続きをしてしまった場合は、所轄の税務署へ連絡して還付などの手続きを行う必要があります。

また、クレジットカード納付の場合は、決済手数料が発生します。サイト内で、決済手数料の試算ができますのでお試しください。なお、クレジットカードの決済可能額以内での支払いとなるため、納付額が決済可能額を超えていないか要注意です。

これらメリットやデメリットを踏まえ、やりやすい方法を検討してみてください。

19
税金対策

税金を払わないと会社は大きくならない

会社を大きくしたいという思いは、すべての経営者がもっているでしょう。それでは、会社を大きくするにはどうすればよいのでしょうか。答えは簡単で、利益を積み上げていけばよいのです。利益が増えることで投資も増えて、結果としてリターンが大きくなり、会社の規模は大きくなっていきます。

ただ、利益が増えるということは、当然、税金も増えることになります。多額の税金を払ってしまったら会社が大きくなるのは無理だと思われる方もいるかもしれませんが、それは誤りで、**税金を払わないと会社は大きくなりません。**税金は利益に対して課税され、かつ、利益の金額を超えるほど課されることはありません。**中小法人の実効税率は最大で33％程度ですので、いい換えると67％の利益は残すことができるのです。**

これを履き違えて、税金を減らすために費用を増やした場合はどうなるのでしょうか。以下でシミュレートしてみましょう。次のページの図を参照してください。

経費計上した場合としなかった場合の残額

例）利益1億円の場合

経費を計上しなかった場合

税金：**1億円×33％＝3300万円**
残る利益：**1億円−3300万円＝6700万円**

上記で経費2000万円を計上した場合

税金：（**1億円−2000万円**）**×33％＝2640万円**
残る利益：（**1億円−2000万円**）**−2640万円＝5360万円**

ご覧の通り、会社に残る利益に１３４０万円もの差が生じます。たしかに、税金は６６０万円ほど少なくなっていますが、そもそもの利益が少なくなってしまいます。税金は、単純に「経費×税率」分しか差し引かれません。これが必要な経費であれば問題ないのですが、そうでないのであれば、「支出する意味がなかった」ことになります。

効率のよい投資が会社を大きくする

会社を大きくするためには、投資↓回収↓投資を繰り返していく必要があります。そして、回収分の利益に対しては税金が課せられます。可能な税金対策としては、投資を早めることです。早く投資をすることで回収も早くなるので、結果として会社は大きくなります。必要な投資を、必要な時期にしていくようにしましょう。

2

やってはいけない節税策

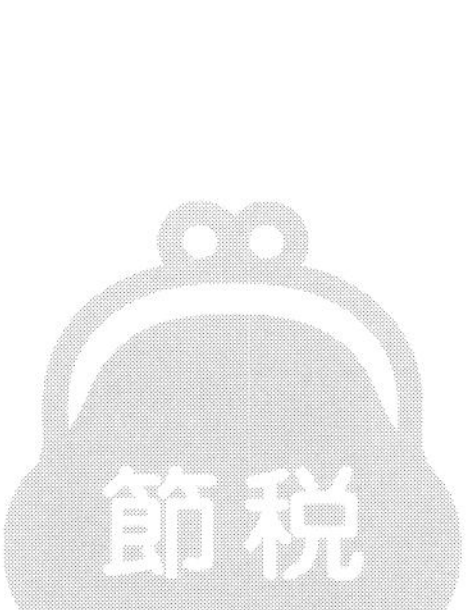

01

損金処理

無駄な経費の計上は資金繰りを悪くする

やってはダメ！

やってはいけない節税策の典型が、経費の垂れ流しとなってしまうものです。節税の名のもと、本来であれば必要のない資産を購入したり、無駄な飲み会などをしてもお金が減ってしまうだけなので、避けたほうがよいでしょう。

また、期ズレは将来の経費を先取りするものなので垂れ流しではないと思われるかもしれませんが、必要な時期に支出しなければ無駄になってしまう可能性もあります。先取りした結果、**経費を使う回数が増えただけだった**ということはよくある話なので、注意してください。

意外と知られていないことですが、経費の計上時期というのはとても重要で、時期を見誤ると無駄になってしまう可能性が高くなります。

節税は会社の資金繰りをよくするために行うものですが、無駄な経費を使えばそれだけ資金繰りも悪くなります。であれば、税金を払ったほうが得だったというケースも多く見られます。そうならないよう、経費の垂れ流しは絶対に避けなければなりません。

取り戻されない「本当の節税策」以外で節税になるものはありません。期ズレは、単純に目先の税金を少なくするだけの対策です。長い目で見れば効果はありません。それにもかかわらず、こういった対策を打っていくというのは、大山鳴動して鼠一匹にもならない可能性があることを理解しておきましょう。

無駄な経費を払うくらいなら給料を上げる

税金を支払うのは無駄なことに感じるかもしれません。しかし、無駄な経費を使うことは税金を支払うよりも、もっともっと無駄なことです。必要のない経費を計上して利益を圧縮しても、会社にとって何らよいことはないということを認識しておいてください。

無駄な経費を使うのであれば、従業員の給料や賞与に反映したほうがよほど効果的です。給与を増やすことで従業員のモチベーションや会社への忠誠心がアップし、結果として会社の業績がよくなっていくことは十分に考えられます。

給料を上げると将来的に不安だというのであれば、福利厚生を充実させるのもよいでしょう。**無駄に経費を使うくらいであれば、従業員に還元するのが会社のためによい選択肢となるでしょう。**

02

期ズレ

決算賞与と決算セールどちらも所詮は期ズレ

やってはダメ！

✕✕✕✕

本来であれば翌期に計上するもののうち、一定の手順を踏むことで当期に計上できるものが2つあります。これらも期ズレではあるのですが、翌期に調整しやすい項目なので、使い勝手はよい手法です。ただし、使い方を間違えてしまうと余計な出費をしただけというこことになりかねないので、ここではその概要を確認していきましょう。

翌期に調整が必要ならば決算賞与は支給しない

ひとつめは「決算賞与の計上」です。**決算賞与は決算時に未払いであっても、一定の要件を満たすことで経費として計上することができます。**従業員のモチベーションも上がるので決算賞与の支給は悪くない手段といえます。

しかし、翌期の賞与を減らして調整すればよいと考えている経営者も少なからずいます。決算賞与は払ったけれども、年間の賞与額は例年と変わらなかったというケースも見受けられます。翌期に調整するつもりであれば、そもそも決算賞与を支給しないほうがよいかもしれません。税金はその場その場ですが、従業員は未来永劫会社のために働いてくれる貴重なリソースです。賞与を調整弁として使うのはあまりおすすめできません。

節税目的の原価割れ販売は本末転倒

2つめは決算セールです。**決算時に原価割れ販売をすることで棚卸資産の評価損を計上する手法**ですが、節税目的で原価割れ販売をするというのは本末転倒でしょう。少しでも利益を乗せて販売する戦略を練ったほうがよほど会社に残る利益は大きくなります。

また、**税務否認される可能性がある**ことも否めません。リスクを負って損失を出す手法をあえてとるというのは、経営上問題があるのではないでしょうか。さらにいえば、原価割れ販売をすることで自社のブランドイメージが低下する恐れも十分にあり、その恩恵が多少の税額減であれば、よい施策といえないのではないでしょうか。

決算賞与と決算セールは、利益の調整弁としておすすめの節税策といわれています。目先の税金のことだけを考えるのであれば確かに悪くない手法ですが、将来を見据えた場合は、むしろ愚策となってしまう可能性が高いです。**どちらも所詮は期ズレ**です。期ズレのために将来を台無しにすることがないよう、十分注意してください。

03

決算賞与

経費にならない決算賞与の支給に注意

やってはダメ！

思ったよりも利益が増えそうな場合、決算賞与を支給する会社が多くあります。決算賞与は、一定の要件を満たすと、未払いであっても当期の経費（損金）として計上することができるので、使い勝手がよい手法といえるでしょう。

未払いの賞与といえば賞与引当金がありますが、賞与引当金はあくまで概算計上ですので損金としては認められません。一方、決算賞与は、賞与を支払うことが確定している「確定債務」となるので、未払いであっても経費計上が認められるのです。ただし、その計上にあたってはいくつかのルールがあり、そのルールを満たしていない決算賞与の支給は節税効果がありません。

翌月の末日が土日祝日の場合に注意

経費計上のポイントは、**支給対象者すべてに通知をし、かつ、その金額を翌月中に支払**

決算賞与を損金にするための要件

- 事業年度終了日までに支給額を全従業員に通知
- 通知した金額を事業年度終了日の翌日から1カ月以内に全額支給
- 通知した金額を当期の経費として処理する（損金経理要件）

わなければならないということです。個人ごとに支給額を通知するのは大変なので、全社員がみる掲示板などで「月給の○カ月分を支給します」と通知するなどの方法がよいでしょう。メール等で通知する場合は、全員に通知が届いているかを確認する必要があるので、注意が必要です。

また、**翌月の末日が土日祝日だったような場合、その支給が翌々月になってしまう**こともあるでしょう。この場合、「翌月中に全額支給」の要件を満たさなくなるので、注意してください。

なお、全従業員と書きましたが、役員に決算賞与を支払った場合は損金不算入となります。ただし、使用人兼務役員の使用人分については従業員分とみなされるので、決算賞与を支給できます。

最後に、賞与とセットで未払いの社会保険料を計上することになりますが、こちらについては経費にすることができません。経費にできるのは、賞与分のみとなります。決算賞与は使い勝手がよい手法ですが、**要件を満たさず否認されるケース**も見受けられます。計上要件を満たしているかの確認は必ずしておきましょう。

04

決算セール

低価法適用のための決算セールはナンセンス

やってはダメ！ ✕✕✕✕✕

決算セールと聞くと、「期末に在庫を一掃したいのか？」と思われるかもしれません。たしかにその側面もあるのですが、実は節税策のひとつでもあるのです。決算セールによって在庫を安く販売することで、その金額で販売をしたという事実を作ることができます。これがキモです。

在庫の時価はいつの時価？

在庫の評価方法には、**原価法**と**低価法**の２つがあります。原価法というのは購入価格を在庫の金額とするもので、低価法は時価が原価より下がっている場合、期末時点での時価を在庫の金額とする方法になります。原価法の場合は購入価格が在庫の金額となるだけですが、**低価法の場合は時価を在庫金額とするので、時価が下がっていれば、含み損を当期の経費として計上できる**というメリットがあります。

では、ここでいう時価とは、何をもって時価というのでしょうか。時価の考え方には正味売却価額と再調達原価とがありますが、法人税基本通達5―2―11によると、「当該事業年度終了時においてその棚卸資産を売却するものとした場合に通常付される価額」とされているので、**正味売却価額が時価**ということになります。

そうすると、決算セールにおいて値引販売をしていたのであれば、その金額こそが事業年度終了時の通常付される価額ということができます。その結果、低価法の恩恵を受けることができるのです。

もちろん、取得原価よりも低い価格で販売していなければ低価法の適用が受けられないので、原価割れの販売をする必要があります。ただ低価法の適用を受けたいからという理由で決算セールをするのはナンセンスですが、**不良在庫の処分をしたいような場合**は悪くない手法であるといえます。

低価法を適用するためには届け出が必要

なお、棚卸資産の評価方法は、届け出をしないと最終仕入原価法による原価法が適用されます。

低価法の適用を受けたい場合は、その事業年度開始日の前日までに棚卸資産の評価方法変更の届け出を提出する必要があります（設立1年目の場合は、1年目の確定申告書の提出期限まで）。また、現行の方法を採用してから相当期間（おおよそ3年）を経過していない場合、その申請は却下されるので注意してください。

決算セールでの節税は、不良在庫を全部さばけなかったとしても、販売価格が取得原価を下回っていた場合に差額を評価損として計上することができます。決算セールで在庫を減らしてキャッシュを増やしながら、節税することもできるという状況を作り上げることができるのです。

ただし、原価割れで販売するというのは本来あってはいけないことなので、そうならないようにしたいものです。また、評価損の計上の適用を受けるためだけにごく一部の在庫を原価割れで販売したような場合は、悪質と判断されて税務否認される可能性が高くなるので、注意してください。

そういったリスクをすべて回避したいのであれば、**原価割れ販売ではなく在庫を廃棄することも**検討してみましょう。在庫を廃棄してしまえば廃棄分を経費にすることができるので、二束三文の収益しか見込めないような場合や、ブランドイメージを大切にしている場合は、廃棄を検討してもよいでしょう。

05
費用の先取

翌期の経費の前倒しで効果を出すのは難しい

やってはダメ！
✕✕✕✕

翌期の始めに予定している経費（費用）を先取りして当期に計上することで、当期の税金を少なくするというのは理にかなっている手法です。ただし、時期を早める必要があるのかどうかは慎重に検討しなければなりません。また、**支出をしただけでは損金とならない可能性もある**ので、注意が必要になります。闇雲に前倒しをしていると、税務調査で否認されてしまうことになりかねないので気をつけてください。

今回は代表的な前倒し費用として、次の４つを紹介していきます。

①宣伝費……看板の作成、媒体へのバナー出稿など
②修繕費……機械のメンテナンス、車両の修理など
③交際費……飲食接待、ゴルフなど
④社員旅行……国内旅行、海外旅行

各前倒し費用の注意点

①の宣伝費については、看板の作成やバナー出稿であれば前倒ししてもよいでしょう。バナー広告など等質等量の広告であれば、1年分を前払いしておけば全額を当期の損金にすることができます（短期前払費用といいます）。ただし、リスティング広告のデポジット（検索連動型広告の預かり金）をしたような場合は、使わなければ経費にならないので注意してください。

②の修繕費については、そもそも前倒しをする必要があるのかという問題があります。使えている状態であればまだ修繕する必要はないかもしれません。修繕を行う場合は、修繕が期末までに完了しないと当期の経費にできないので、工事業者のスケジュールを確認しておく必要があります。

③の交際費については、時期を早めることによって、結果として回数が増えただけだったということになりかねません。前倒しの効果は少ないので、必要なタイミングで行うのがよいでしょう。

④の社員旅行については、多くても年1回が通常だと思います。すでに社員旅行を開催していたとすれば、無理に実施する必要はありません。また、期末日までに旅行が終わっ

ていないと全額を経費にすることができなくなってしまいます。決算対策としていきなり実施するには無理がある項目です。なお、**高額過ぎる社員旅行は給与課税される可能性があります**。その点にも注意しましょう。

経費の前倒しは効果があるのか？

このように、前倒しして経費計上することが、よい結果を生むとはいい難い部分があります。無理して前倒しをする必要はまったくないので、前倒しをしても問題がないかをよく検証してから実施するようにしてください。

前倒し計上は、翌期の費用を先取りするだけです。翌期であれば何の問題もなく経費として計上できたものを、無理して当期に入れることになるので、そこに歪みが生じてきます。

期末の費用というのは、税務調査でも必ずチェックされ、不自然な経費については必ず指摘を受けます。計上要件を満たさない経費を計上していたりすると、悪質な会社というレッテルを貼られてしまう可能性もあるので、前倒し計上は慎重な判断に基づいて行いましょう。

06
保険

貯蓄性の高い保険は短期間で解約すると大損

やってはダメ！
☒☒☒
☒☒

逓増保険は保険料の一部しか損金にできない

貯蓄型保険への加入を検討している場合、そもそもの返戻率が低い「全額損金タイプ」の保険はあまりおすすめできません。ただ、返戻率が100％近いものであれば、かなり貯蓄性が高いといえますので、「加入してもよいのでは？」と考える方もいるでしょう。

このような貯蓄性の高い保険の代表格に「逓増定期保険」と呼ばれるものがありますが、ピーク時の返戻率が高いのが特徴です。しかし、裏を返すと、**ピーク時以外の返戻率についてはかなり抑えられているので、短期間で解約すると大損してしまう**ことになります。保険の加入は、慎重に検討してほしいところです。

逓増定期保険は、解約返戻金率によって取り扱いが異なります（P56～59参照）。次のページの図で解約返戻金率が85％超の保険を例に詳しく説明していきます。

最高解約返戻金率が85％超の保険の損金計上

最高解約返戻率	資産計上期間	資産計上額	取崩期間
85％超	保険期間開始～最高解約返戻率を迎える期間等まで	保険料×最高解約返戻率×90％（11年目以降は70％）	解約返戻金相当額が最も高い金額となる期間等経過後から、保険期間の終了の日まで

10％程度しか損金算入できない！

逓増定期保険は支払保険料のうち、一部しか損金計上できません。

解約返戻金率が85％超の保険だと、最初のうちに支払う保険料の約12％～15％だけが支払保険料として損金になり、残りの約85％～88％は資産計上しなくてはなりません。節税をするために高額な保険に加入しても、**実際に損金算入できるのはわずか10％強**しかないのです。

入念に資金計画を立てる

保険期間は長期にわたるので、返戻率が低すぎて解約できない状況も考えられます。「契約者貸付」という制度もありますが、保険料を支払うために今まで支払った保険料を担保にお金を借りて金利を払うのは、あまりに馬鹿馬鹿しい話です。

目先の節税のために大損してしまったというケース

も少なくありません。保険の加入時には返戻率の説明がされるので、**少なくとも返戻率が高くなる期間までキャッシュフローが回るような資金計画を立てて、十分な資金繰りが見込める状態で加入を検討**してください。逓増定期保険に加入するならば、解約返戻金率の高い保険がよいでしょう。ただし、基本的には出口戦略のない逓増定期保険への加入は、キャッシュフローの悪化が目に見えているので、おすすめできません。

07 資産の購入

高額資産を急に買っても当期分の経費は少額!?

やってはダメ！
✕✕✕

資産を購入しても、全額を当期の経費として計上することはできません。原則として、**10万円以上の資産を購入した場合は、減価償却という方法で経費化していく**ことになります。

減価償却の償却方法には定額法と定率法とがあり、定額法は単純に「取得価額÷耐用年数」、定率法は「帳簿価額×償却率」により計算をします（便宜上、残存価額は考慮していません）。定率法の償却率は定額法の償却率の2倍で、たとえば耐用年数5年だと、定額法は20％、定率法は40％の償却率となります。そうすると定率法のほうがお得なように感じるかもしれませんが、定率法は帳簿価額（取得価額からこれまで経費にした金額を控除した残額）に対して償却率を乗じていくので、最終的な減価償却費は定額法も定率法も同じです。目先の節税を考えた場合は定率法のほうが有利なので、多くの方が定率法を選択します。

届け出をしなければ自動的に法定償却方法になる

なお、償却方法には「法定償却方法」というものがあり、**法人の場合、何の届け出もしなければ定率法**になり（建物、建物附属設備、構築物、無形固定資産等は定額法のみ）、**個人の場合は定額法が法定償却方法**となります。

減価償却の計算要素は、取得価額・耐用年数・残存価額（1円）の3つです。取得価額は購入した金額（付随費用を含む）、耐用年数は原則として耐用年数省令に定められている年数となります。

どれもかなり長期間にわたって費用化しなければならないことがわかります。たとえば、300万円で新車を購入しても、1年間で経費にできる金額は「300万円÷6年＝50万円」になります（定額法）。300万円もの出費をしたにもかかわらず、経費になるのがたったの50万円では、少し損した気分になるのではないでしょうか。定率法にすれば2倍の償却費を計上することができますが、それでも物足りないくらいです。

中古品なら耐用年数を短くできる

そこで注目したいのが耐用年数です。P159〜161で具体的に説明しますが、耐用

一般的な資産の耐用年数

項目	耐用年数	償却率（定率法）
乗用車	6年	0.333
パソコン	4年	0.500
テレビ	5年	0.400
電話設備	6年	0.333
応接セット	8年	0.250
建物附属設備	10〜15年程度	—

年数が短ければ費用化する期間を短くすることができるので、年間の経費を増やすことができます。

また、耐用年数は新品の資産を基準としており、中古資産の場合は異なる耐用年数となります。応接セットや建物附属設備を中古で購入することはないかと思いますが、**中古でもよいものは中古で購入して、短い期間で償却するのがよい**でしょう。

また、一定の中小企業者の場合、取得価額30万円未満の資産を購入したとき、全額を経費とすることができるので、こちらも利用したいものです。ただし、年間300万円が限度となり、かつ償却資産税の対象にもなります。この点が10万円未満の場合と異なる扱いになるので注意してください。

コラム

領収書とレシート どちらを保存しておく？

取引の確認書類として、「レシートよりも領収書のほうがふさわしい」と考える人が多いですが、実務では、日付・金額・内容・相手先の記載があれば、どちらも有効な書類です。それぞれの良い点・悪い点を考えてみましょう。

領収書は宛名があるので、その会社のための支出であることが明確になりますが、一方で、但し書きを「お品代」などとしてしまうと具体的な取引内容がわからず、本当に会社にとって必要な支出なのかどうかが判断できません。また、あて名書きのないものや日付のないもの、手書きの領収書などは、税務調査の際に指摘を受けやすいため注意が必要です。領収書を発行してもらう際には、日付・金額・具体的な但し書き・発行者名の記載を確認しましょう。

レシートは具体的な取引内容が記載されており、その費用が本当に事業に必要なものかどうかが確認でき、不正もしにくいため、領収書よりも取引の証拠資料として信頼性が高いといえます。

ただし、領収書と異なりあて名がないので、不正を働こうと思えば、その会社のための支出ではないレシート（たとえば、知り合いから集めたレシートなど）も利用できてしまいます。

どちらも一長一短ですが、税理士の視点からすると、取引の証拠書類としては、領収書よりも取引の明細を確認できるレシートを保存しておく方が望ましいと言えます。

経費精算の際に領収書の提出が必要な会社ならば、領収書の但し書きに取引の内容を具体的に記載するなどのルールを作るか、領収書と一緒にレシートも保存するなどして工夫するとよいでしょう。

3

とりあえず
やっておきたい節税策

01
概要

やっておきたい節税策の具体例

節税の効果
★★★★★

「さあ節税をしよう！」と考えたところで、何からやってよいのかわからないというのが実情でしょう。そこでこの章では、手をつけていってもらいたい順番に節税策を紹介していきます。節税には本当の節税と期ズレがあるというお話をしましたが、それに追加してオーナー社長の給与やマイカー、食事代などを経費にする方法も紹介していきます。

オーナーや社長は所得税も節税できる

特にオーナー社長関係については、本来であれば**給与としてもらって所得税を支払った後の金額から支払うべきものを法人の経費とすることができる**ので、単純に所得税分の節税をすることができます。所得税の最高税率は55％（住民税含む）なので、節税効果はかなりの金額が見込まれます。法人税のみならず所得税も節税できる方法になるので、該当する場合はぜひ活用してください。

また、国内や海外に会社をつくる手法は、ハードルこそ高くなりますが、それだけに効果はかなり大きくなるので、会社の発展に合わせて検討していきたい項目となります。

まずはできるものから取り掛かってみてください。特に本当の節税部分については、できる限り多くの項目を押さえるようにしてください。節税効果を5段階で評価しているので、「節税の効果」の数が多いものから手をつけていくのも一考でしょう。これらの施策を取り入れることで、少なくとも**数十万円～数百万円、会社によっては数千万円～億単位での節税が見込めます**。本業と並行して行うくらいの気持ちで取り掛かってください。

節税に取り掛かる際には税理士に相談を

節税は税に直結します。そうすると、仮に利益率5％の会社であったとしたら、100万円の節税は2000万円の売上に匹敵することになります。2000万円の売上をつくることはそう簡単ではありませんが、100万円の節税はそこまで難しいものではありません。かなり面倒な項目もありますが、その苦労を負ってでもやる価値があるものなので、積極的に行うようにしてください。

また、かなり専門的な部分もあるので、**専門家に相談しながら実施する**ことをおすすめします。

節税の種類にはどのようなものがある？

会社に関係するもの

・青色申告の承認を受ける
・出張旅費規程をつくる
・社宅規程をつくる
・各種税額控除の活用
・会社を複数つくる
・原則より少なく消費税を納税する
・海外子会社をつくる

オーナー・社長に関係するもの

・自分に給与を支払う
・マイカーを経費にする
・自宅を経費にする
・食事代を経費にする
・残業時の食事代を経費にする
・資格などの技術習得費を経費にする
・旅行を経費にする
・ゴルフクラブやスポーツクラブの費用を経費にする

期ズレ

・積立金を経費にする

「期ズレ」とは、売り上げや経費などの計上時期がズレること

02
税制の恩恵

青色申告の承認を受ける

節税の効果
★★★★★

法人の確定申告の種類には、「青色申告」と「白色申告」の2種類があります。白色申告にはメリットがないため、ほとんどの法人が、税務上圧倒的に有利な青色申告の承認を受けています。

青色申告の4つの特典

青色申告の特典は、主に「欠損金の繰越控除」、「特別償却・割増償却」、「税額控除」、「推計課税がされない」ことの4つが挙げられます。順番に確認していきましょう。

①欠損金の繰越控除は、法人がある期に**赤字を出した場合に、その金額を翌期以降10年にわたって黒字から控除できるしくみ**です。たとえば、中小法人等が前期に税務上200万円の赤字を出し、当期の利益が100万円だったとします。本来であれば、当期の利益100万円が課税の対象となるところですが、前期の欠損金200万円のうち100万円

をぶつけることができるため、当期の課税所得はゼロとなり、法人税を納税する必要がなくなります。残りの欠損金100万円は、さらに翌期へ繰り越すことができます。なお、資本金1億円超など一定の法人の場合、欠損金の控除額は、当期の税務上の利益の50%が限度となります。今回のケースの場合、当期は50万円が課税の対象となり、残りの欠損金150万円は翌期に繰り越すことになります。

②特別償却・割増償却は、**一定の資産などを購入した場合に、より多くの減価償却費を計上できる特典**です。

③税額控除（P98〜99参照）は、**固定資産や人件費などについて一定の支出があった場合に、税額を直接控除できる特典**です。これら2つの特典は、制度の新設や廃止、計算方法などの変更が頻繁に行われるため、適用を受けられる制度がないか、毎期情報を収集するとよいでしょう。

④推計課税は、同業他社との比較などによって、税務署が帳簿に基づかずに独自に税金を計算して課税する方法ですが、**青色申告法人に行うことはできません**。青色申告法人の場合、税務署は法人が作成した帳簿の調査に基づいて更正などの判断を行います。

青色申告をするためには、事前に申請書を提出し、税務署長の承認を受ける必要があります。設立初年度の場合には設立後3カ月以内、または設立事業年度終了日のいずれか早

青色申告法人数の推移

区分（年）	青色申告法人数（件）	青色申告普及割合（%）
1950	14万4674	47.8
1960	45万8171	69.7
1970	91万9368	82.7
1980	161万2117	90.4
1990	224万1800	89
1995	250万626	92.6
2000	261万3621	90.6
2002	260万2258	89.8

出所：国税庁HP「法人数及び青色申告法人数の推移」より編集部作成

い日の前日までに「青色申告の承認申請書」を所轄税務署長に提出すれば、初年度から青色申告法人となります。設立第2期以降の場合は、適用を受けようとする事業年度開始日の前日までに申請書を提出する必要があります。申請書提出後、税務署から何も連絡がなければ、自動的に承認があったことになります。

青色申告の承認を受けると、法定の帳簿記録と保存をしなければなりませんが、この点は白色申告とほとんど変わりません。**青色申告になることによる手間やデメリットは特にない**ので、早めに承認を受けておくとよいでしょう。

03
損金処理

出張旅費規程に日当を定め損金にする

節税の効果
★★★★★

出張に関する支出には、交通費、宿泊費などがありますが、**出張旅費規程に日当などを定めていると、これら実費に加えて、日当なども法人の損金にすることができます**。また、受け取る個人の側からみると、日当などは給与ではなく非課税所得となります。個人に対する給与にならないということは、社会保険料の負担も増加しません。さらに、**国内出張**に関する手当は、消費税の課税取引なので、仕入税額控除の対象となります。まさに、法人と個人どちらにも嬉しい制度です。

なお、日当の目的は、「宿泊費や交通費以外にかかる食事代や少額な諸経費などを、出張の都度精算するのは煩わしいので定額で支給する」ということであり、節税のためにあるものではありません。よって、日当は同規模同業他社と同水準であることが望ましく、そのほかにも、全社員を対象とすることや、書類を保管しておく必要もあります。

規程の目的と手続き方法

出張旅費規程に定めるべき内容は次の通りです。

①規程の目的

出張旅費規程の目的を定めます。「役員または社員が業務により出張する場合の手続及び旅費に関して定める」といった文章が一般的です。

②適用範囲

全社員が対象になります。もし役員を別規程にする場合には、その旨を記載します。

③出張の定義

出張の定義を定めます。移動距離が片道１００キロを超えるものを出張と定義している会社が多いようです。また、距離によって、遠出張や近出張などを定めることもできます。

④旅費の種類と金額

交通費、宿泊費、日当などの金額をそれぞれ定めます。交通費は実費精算です。宿泊費は一般的には実費精算ですが、定額支給とすることもできます。日当は宿泊の有無や距離で区別できるほか、長期の出張については減額することも可能です。いずれも、社長や役員、役職者、一般社員などの役職に応じて差をつけることができます。

出張旅費規程を定めるメリット

会社側

- 交通費、宿泊費などの実費に加えて、出張日当も損金となる
- 国内出張の日当は、消費税課税取引となる（仕入税額控除の対象となる）
- 出張に係る事務処理の効率化が図れる
- 出張日当について、社会保険料の負担が増えない

労働者側

- 出張日当は、所得税と住民税の課税対象とならない
- 出張日当について、社会保険料の負担が増えない

これらのほかに、出張時の食費に対する手当を支給する会社もあります。

⑤手続き方法

出張申請書や出張報告書などの提出に関する手続き方法や必要な添付書類、提出期限などを定めます。

領収書確認の手間も省ける

出張旅費規程を定めると、節税効果だけでなく事務処理の効率化も図れます。所定の様式に必要な情報がまとまるため、処理しやすいほか、宿泊費を定額支給にすれば宿泊費の領収書を確認する必要もなくなります。

04
損金処理

社宅規程をつくって社員の手取りを増やす

節税の効果
★★★★☆

社宅制度は、福利厚生の充実のみならず、税制面でのメリットがあります。給料増額よりも、同額の社宅を提供するほうが、双方にとってお得になります。

社宅の種類には、法人が不動産を賃貸して役員や社員に提供する借り上げ社宅と、法人所有の不動産を役員や社員に貸す方法があります。ここでは、一般的な借り上げ社宅について説明します。

家賃の受領額に注意する

法人は、**不動産の所有者と賃貸借契約を締結し、所有者に家賃などを支払うと、それが全額法人の損金となります**。そして、役員や社員からは一定額の家賃を受け取る必要があります。役員や社員から一定額の家賃を受領しないと、給与として課税されてしまうので、注意が必要です。

たとえば、家賃が月10万円の部屋を借り上げて社宅にし、社員から3万円を受領し、その分社員の給与を7万円下げる場合、次のようになります。

①法人側

負担する家賃10万円が損金となり、社員から受け取る3万円が益金となり、支払家賃として7万円の経費が発生します。

しかし、社員の給与を7万円下げたことにより給与としての経費は7万円減少し、トータルとしては会社負担に変更はありません。

②社員側

給与は7万円下がりますが、10万円の部屋に3万円で住めるため、家賃負担も7万円下がります。一見メリットがないようにみえますが、給与が7万円下がるため、所得税・住民税・社会保険料が軒並み下がり、結果として手取額が増えるということになります。

このように、社宅制度で、法人の負担を増やすことなく、社員の手取額を増やすことができます。なお、原則として社宅は給与になりませんが、一定の場合は現物給与となり、負担が増えます。

社員に社宅や寮などを貸した場合

1カ月当たり一定額以上の家賃を受け取っていれば給与として課税されない

一定額以上の家賃とは、
①（その年度の建物の固定資産税の課税標準額）×0.2%
②12円×（その建物の総床面積（平方メートル）／3.3（平方メートル））
③（その年度の敷地の固定資産税の課税標準額）×0.22%
この①〜③の合計額のこと

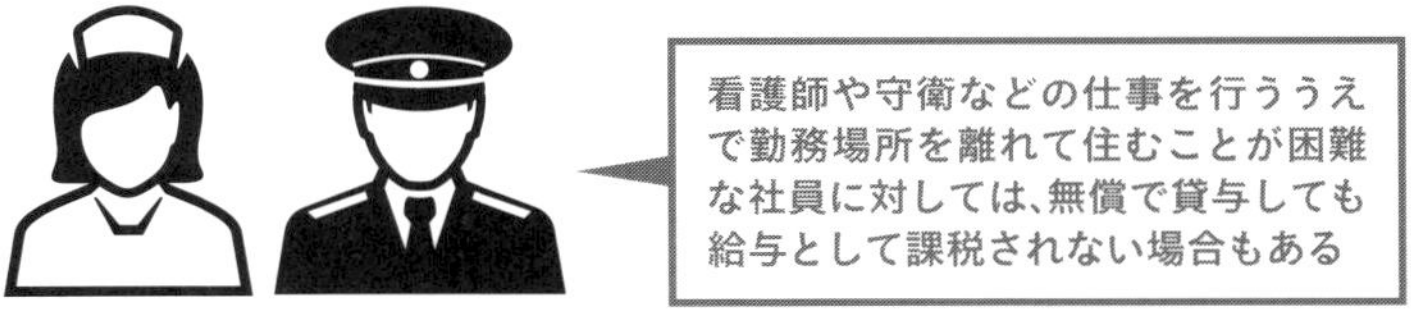
看護師や守衛などの仕事を行ううえで勤務場所を離れて住むことが困難な社員に対しては、無償で貸与しても給与として課税されない場合もある

出所：国税庁HP「使用人に社宅や寮などを貸したとき」より編集部作成

社宅に似た福利厚生制度として、住宅手当もありますが、こちらは給与となるため個人の税負担が増えるほか、法人と個人の社会保険料も増加してしまいます。

なお、役員に貸与する社宅については、豪華なものは社宅にできないほか、小規模な住宅でない場合は、受領すべき家賃の計算方法が変わるので注意が必要です。

社宅制度を設ける場合には、トラブルを避けるためにも、社宅規程に具体的な費用負担や入居のルールなどを明確に定めておくことが必要です。

05

税額控除

各種税額控除を活用しよう

節税の効果

★★★★★

法人税を直接少なくできるのが税額控除です。期間限定で制定される租税特別措置法に基づくものが多く、継続的な情報収集が肝心です。メジャーなものを2つ紹介します。

主要な税額控除

①機械等を取得した場合

設備投資を後押しするために設けられた制度で、**中小企業者などが新品の機械などを取得して事業に利用した場合、その取得価額の7%相当額**（法人税額の20%が限度）**を法人税額から控除**できます。対象となる機械などは、次のようなものに限定されています。

・1基160万円以上の機械および装置

・1台120万円以上の事務処理の効率化、品質管理向上等に資する測定工具および検査工具

・合計70万円以上のソフトウェア
・3・5トン以上の運搬用普通自動車　など

控除しきれなかった金額は、翌事業年度に繰り越すことができます。なお、娯楽業（映画業などを除く）、電気業など一定の事業や、資本金が3000万円超の法人などは対象外になります。

②研究開発税制

企業の研究開発投資の促進を図る目的で、**試験研究費関連については諸々の手厚い税額控除制度が設けられています**。

なお、対象となる試験研究費は従来、①製品の製造、②技術の考案、改良等がその範囲とされていましたが、これらに加え新たに③ビックデータ等を活用したサービス開発もその範囲に含まれました。

制度はかなり複雑で、現状では「一般試験研究費の額に係る税額控除制度」「中小企業技術基盤強化税制」「特別試験研究費の額に係る税額控除制度」の3つから構成されています。ただし、複雑なだけあって、これらをうまく組み合わせることができると、なんと**最大で法人税額の50％もの税額控除が可能**となります。開発等を行っている企業は一度顧問税理士へ相談してみるとよいでしょう。

06
損金処理

役員に給与を支払えば大きな節税効果がある

節税の効果
★★★★★

大きな節税効果が期待できる役員報酬ですが、損金にするためには気をつけなければならないルールがあります。

時期の制約があることに注意

役員報酬は、「定期同額給与」である場合に限り、税務上の損金とすることができます。

定期同額給与とは、「毎月一定の時期に同額が支払われる給与」のことをいいます。役員報酬の改定は、事業年度開始から3カ月以内に限り可能なので、金額を変更する場合には、必ずその期間に改定します。

たとえば、決算の間際に利益が出るからといって、急に役員報酬を増額しても、増額した部分は毎月同額ではないため損金になりません。逆に、資金不足などによって期の途中で減額した場合も、毎月同額というルールから外れてしまうため、減額した部分は損金になりません。

また、役員賞与も定期同額ではないため、原則は損金となりませんが、例外的に事前に税務署へ届出をすれば、損金とすることができます（P199～201参照）。

役員報酬はまとめずに分散させたほうがお得

役員報酬が法人の損金になる一方で、それを**受け取った個人に対しては、給与所得として所得税や住民税がかかってきます**。中小企業の実効税率は30％程度ですが、個人の所得税と住民税を合わせた税率は、15～55％と幅があります。

法人の経営の状況や将来の設備投資計画、キャッシュフローの状況、役員報酬に関する社会保険料、役員個人の税負担などもあるので、いくらの役員報酬が適切であるか、長期的な観点から総合的に判断する必要があります。

家族が役員として会社の経営に従事している場合には、家族にも役員報酬を支給することができます。社長ひとりにまとまった役員報酬を支給すると、所得税の超過累進税率によって個人の税負担が大きくなりますが、家族に役員報酬を支給して所得を分散することで、それぞれの税率を下げることができ、トータルでの節税効果が期待できます。

07
損金処理

譲渡契約をしマイカーを経費にする

節税の効果
★★★★★

役員や従業員などが所有している車を法人の事業に利用し、実際にかかったガソリン代や高速代などを精算して法人の経費（損金）としているケースはよくありますが、このような場合、車検代や保険料、修理費用などは個人負担のままとなっていることがほとんどです。実は、**車の名義を法人に変えると、これらの費用や減価償却費なども法人の経費にすることができます。**

法人に名義を変更してもプライベートで利用可能

まず、個人所有の車について、法人と譲渡契約を締結して、法人に買い取ってもらいます。このときの金額は、実際に売買されている市場価格で計算します。**市場価格より高い金額を設定した場合、役員報酬や給与とされてしまう可能性がある**ので、注意が必要です。役員報酬とされてしまうと、その金額は法人の損金とならず、さらに個人の給与所得として課税されることになり、会社と個人の両方に負担がかかります。

譲渡後、車は法人名義となり、法人が保険料や車検代、修理費用などを支払った場合、それらはすべて法人の損金になります。それだけでなく、個人名義では計上することのできなかった減価償却費も、会社の損金にすることができます。なお、車を法人へ売却したときの売却益については、生活用財産の譲渡のため、個人に税金はかかりません。

名義を法人に変更した後に、プライベートで利用している場合には、その部分は損金になりません。**プライベートに利用する日数や距離などの具体的な割合に応じて、損金になる部分とならない部分を合理的に算定する**必要があります。

個人名義のまま賃貸借する方法

また、**名義を変更せずに、個人から法人に車を賃貸借契約で貸し出す方法もあります。**

この場合、法人が個人に支払う賃貸料は損金となりますが、その反面、個人が会社から受け取るお金は個人の所得として課税の対象となります。また、税務署から賃貸料が合理的な金額でないと判断された場合、法人の損金と認められず役員報酬や給与と認定されてしまうリスクもあります。賃貸借契約を検討するよりも、思い切って法人に売却して名義変更したほうがよいでしょう。

08

損金処理

法人登記をし自宅を経費にする

節税の効果

★★★☆☆

法人登記を自宅にしている場合、自宅にかかる支出のうち、法人が利用している部分に対応する金額を、法人の損金とすることが可能です。**自宅が賃貸物件なのか、自己所有物件なのかで取り扱いが異なります。**

①自宅が賃貸物件の場合

間取りなどを見ながら、法人で利用している部分の部屋の床面積を計算し、全体の何％が法人利用になっているかを調べます。個人で支払っている賃料や管理費、共益費などのうち、**法人が利用している割合の分だけ法人の損金**にします。

たとえば左の図のように、賃料などが10万円の自宅を賃貸し、そのうちの一室を法人のオフィスとして利用しているとします。オフィスとして利用している部分が物件全体の20％の床面積を占めているので、会社の損金となる賃料は、「10万円×20％＝2万円」となります。

自宅が賃貸物件の場合の損金にできる金額

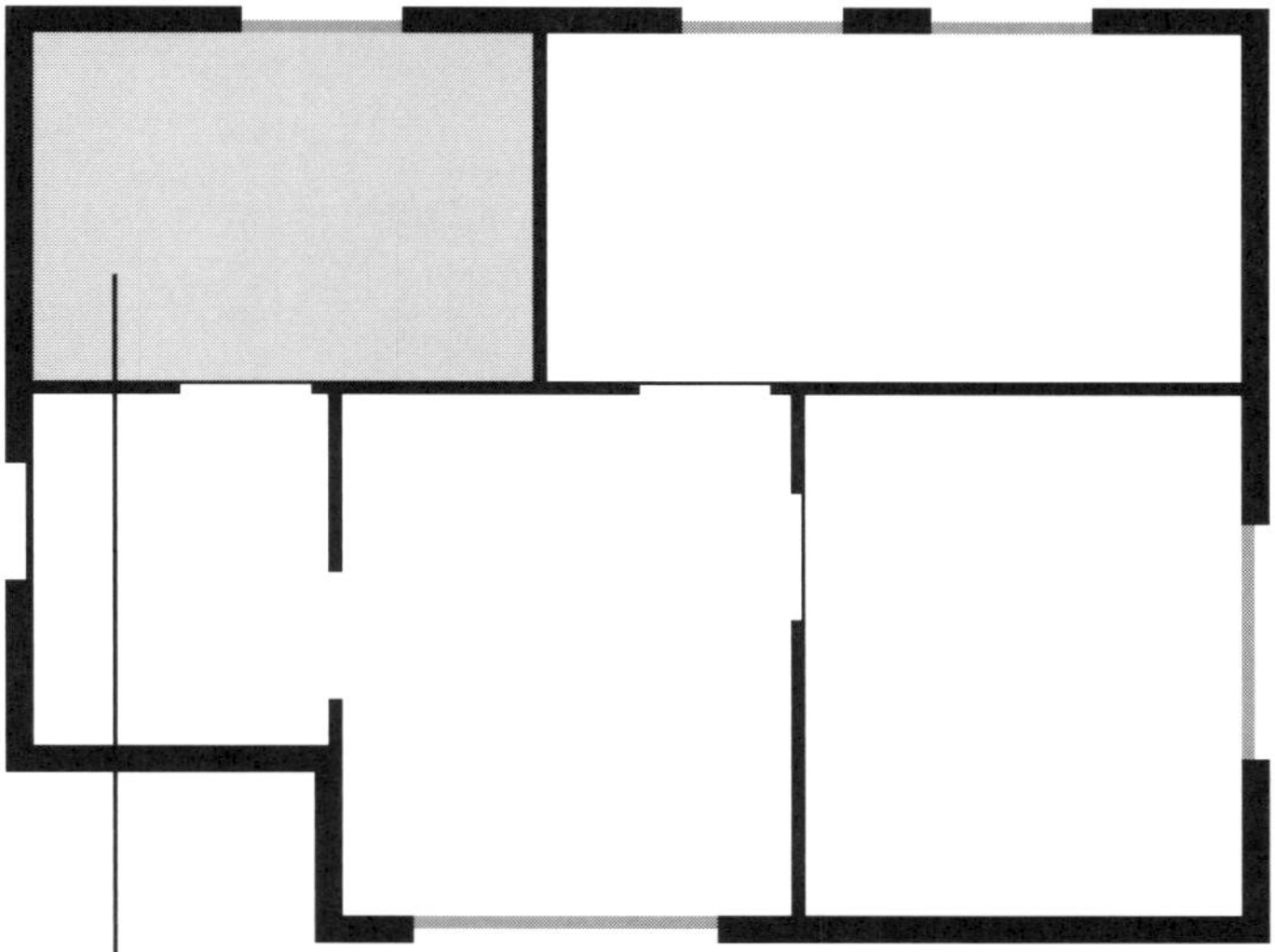

会社利用: **床面積全体の20%**

賃料10万円×20%＝2万円

2万円を会社の経費とすることができる

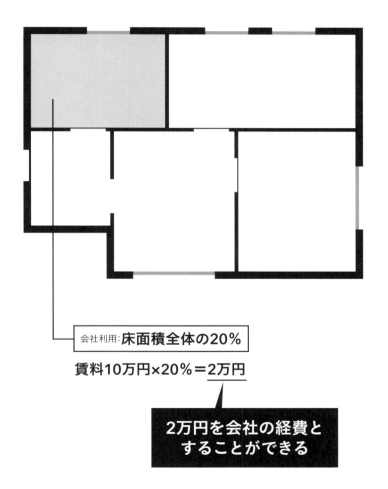

②自宅が自己所有物件の場合

法人と個人との間で**賃貸借契約**を締結し、賃料は近隣の相場を参考にして設定します。相場と比較して高すぎる場合、役員報酬と認定される可能性があるので気をつけます。

法人が個人に支払う賃料を法人の損金とすることができます。しかしその裏返しで、**個人に入るお金は不動産所得として課税の対象**となりますので、確定申告が必要となることもあります。その場合は、賃料から法人に貸している部分に対応する固定資産税や減価償却費などを必要経費として差し引いて、不動産所得を計算します。

また、いずれの場合でも、自宅に係る水道光熱費や通信費、防犯費用などのうち、法人利用部分に対応する金額も、法人の損金にすることができます。

自宅を法人名義に変更すれば社宅制度を利用できる可能性も

ここでは、自宅に法人登記をした場合を紹介しましたが、自宅を個人名義から法人名義に変更してしまう方法もあります。その場合は、自宅利用部分が社宅扱いとなり、社宅制度を利用できる可能性もあります。

09
損金処理

通常の食事代を経費にする

節税の効果
★★★★☆

毎日かかる飲食費を可能な限り損金にしたいと考える方は多いと思います。もちろん、プライベートな飲食費は法人の損金とすることはできませんが、法人の事業のために必要な飲食費であれば、損金とすることができます。

経費として認められる飲食費の種類

では、どのような場合に飲食費を損金にすることが可能なのでしょうか。

①取引先との会議

取引先との打ち合わせのために用意するお弁当やお茶、お菓子など、また、レストランで行う打ち合わせにかかる飲食費などは、会議費として損金とすることができます。

②取引先の接待

取引先を接待するために支出した飲食費などは交際費として損金とすることができま

す。ただし、好きなだけ損金にすることは認められず、税務上の上限が定められています。**資本金1億円以下の法人の場合には、少なくとも800万円までは損金**になると考えて差し支えありません。このとき、1人あたり5000円以下の飲食費は、800万円の枠でカウントする必要がありません。トータルの金額を参加者の人数で割って、1人5000円以下になる飲食費については、交際費とは区別して「少額交際費」や「会議費」などの勘定科目で管理しておくとよいでしょう。

③社員との新年会など

新年会や忘年会などで社員と飲食する場合は、福利厚生費として損金にすることができます。ただし、「もっぱら従業員の慰安のため」に行うものでなければなりません。したがって、全社員を対象とするものであることが大前提であり、特定の部署の人たちだけで行う新年会や、希望者のみが参加する二次会などは**福利厚生費ではなく給与**となります。

また、豪華すぎる場合なども、福利厚生費ではなく、給与と認定される可能性があるので、常識的な範囲内で行う必要があります。ビンゴ大会の景品なども常識的な範囲内であれば福利厚生費となります。

④出張時の飲食

出張旅費規程（P92～94参照）に、**食費補助の定め**をおいている場合は、福利厚生費と

飲食関係の支出と経費(損金)

内容	勘定科目	税務上の取り扱い
取引先との会議	会議費	全額損金
取引先の接待 (1人5000円以内の飲食)	会議費 少額交際費	全額損金
取引先の接待 (上記以外)	交際費	限度額計算
取引先の接待 (飲食以外)	交際費	限度額計算
全社員参加の 新年会・忘年会	福利厚生費	全額損金
社員の残業食	福利厚生費	全額損金

して損金とすることができます。

判断に悩む場合は客観視する

このように、事業に関連する飲食費は損金にすることができますが、調査があったときに事業との関連性を立証できるよう、「誰が」「いつ」「誰と」「何人で」「何のために飲食をしたのか」という記録と合わせて**領収書などをしっかりと保管**しておきましょう。

事業に関連する飲食費か否かの判断は非常に難しいものです。損金になるかどうか判断に悩んだときには、「外部の人がこの経費を見たらどう思うだろうか」という客観的な観点から考えてみるとよいでしょう。

10
損金処理

残業時の食事代を経費にする

節税の効果
★★☆☆☆

残業時の食事代を法人が補助する場合、法人の福利厚生費として損金にすることが可能です。要件を満たさないと、**給与と認定されて思わぬ課税をされる**ことになるので、要件を確認したうえで導入しましょう。

①全社員を対象としていること

あくまでも福利厚生制度のひとつなので、全社員を対象とする必要があります。社長や役員など、特定の人だけを対象とした場合は、その人に対する給与として個人に課税されることになります。

②実費精算であること

レシートなどの資料をもとに、実費で精算しなければなりません。たとえば「1回の残業時の食事につき500円支給」などと概算額で支給した場合には、給与として個人に課税されることになります。

③残業時の食事として適切な金額であること

残業時の食事なので、夕食としてふさわしい金額に留める必要があります。1回の食事が1人数千円などの場合には、残業中の食事として高すぎるので、福利厚生費とは認められず、給与とされてしまう可能性が高くなります。

リスク回避のために規程を定めておく

なお、役員に対する残業時の食費補助が給与とされてしまうと、この給与は定期同額給与（P100～101参照）に該当しないので、支給額は会社の損金とならなくなってしまいます。会社も個人も税金の負担が発生してしまうので、役員については特に注意が必要です。

食事にかかる支出は、税務調査が入ったときに、会社の考えに反して**交際費や給与などに認定されてしまうリスク**が常に付きまといます。税務調査時に福利厚生制度であることを主張できるよう、**残業時の食事に関する規程**を定め、食事をする時間帯（夜○時以降や残業○時間以上など）や上限額（1000円以下など）、申請方法（部門長の承認など）を明確にしておくとよいでしょう。

11
損金処理

資格など の技能習得費を経費にする

節税の効果
★★☆☆☆

技能習得費などのように、「近い将来、会社の売上や利益に貢献するための知識や経験を得るために必要な費用」は法人の損金にすることが可能です。

解釈に幅がありますが、ポイントとしては次の2つです。

①職務に直接必要な技術、知識、免許、資格を取得させるための費用であること

②金額的に適正であること

法人の営む業種によって、必要な資格や知識などは異なりますが、たとえば次のようなものであれば、技能習得費として法人の損金にすることができます。

・レストランのスタッフがワインソムリエや野菜ソムリエの資格をとるための費用
・保険代理店のスタッフが、FPの資格をとるための費用
・病院のスタッフが、医療事務の資格をとるための費用
・海外進出を考えている会社の営業職が英会話教室に通う費用

・経理担当者が、簿記や国際会計基準を学ぶための費用
・服飾販売員が、カラーコーディネーターの資格をとるための費用

このように、さまざまなものを技能習得費として法人の損金とすることができますが、法人の事業にまったく関係ないものや、個人的な趣味、勉強のための費用は損金として認められません。**「現在および将来の法人の経営にとって必要か否か」という観点**から、判断をする必要があります。

技能習得までの期間を設けることも可能

福利厚生の一環として自己啓発のための通信教育のメニューを提供するなど、法人が負担した技能習得費が事業との関連が薄い場合は、損金とならず個人に対する給与とされてしまう可能性があるので注意が必要です。

また、技能習得費を全額法人負担とすることも可能ですが、半額または一部を本人負担としたり、「○年以内に合格した場合には会社が負担する」といった条件をつけたりすることもできます。

法人の事業にとってどのような資格が有益か、いくらまで法人が負担するかなど、**規程をつくって明確にしておく**とよいでしょう。

12
損金処理

事業に関連する旅費を経費にする

節税の効果
★★☆☆☆

役員だけで行う旅行や、プライベートな旅行は損金にすることはできず、法人が負担した場合には給与となりますが、**法人の事業に関連する旅費については、損金とすることが可能**です。たとえば、役員や社員の福利厚生のための社員旅行や研修旅行、海外視察旅行などは、事業に関連する旅費として損金にすることができます。

給与課税されないように事前に要件を確認する

社員旅行については、法人が役員や社員に供与する経済的利益の額が少額である必要があるほか、次のような要件をすべて満たす必要があります。

・国内旅行の場合は、4泊5日以内
・海外旅行の場合は、外国での滞在が4泊5日以内
・参加者人数が全体の50％以上

・不参加者に金銭の支給をしない

経済的利益が少額かどうかの判断は**法人の負担額が社員1人あたりおおむね10万円程度**と考えるのが一般的です。そのため、海外旅行など旅費がかかる社員旅行の場合には、旅費の半額を社員負担などとする会社が多いようです。

また、社員旅行に家族の参加を認めることも可能ですが、家族は社員ではないので福利厚生費とすることはできません。家族の参加にかかる旅費は、その全額を参加者負担にする必要があります。福利厚生費と認められない金額が発生した場合には、役員や社員に対する給与として課税されることになるので、注意が必要です。さらに、役員の場合には定期同額給与ではないため（P100〜101参照）、税務上は全額が法人の損金となりません。

研修旅行については、**法人の業務のために直接必要なものであれば、全額が損金**となります。直接必要でない部分の費用は、損金とはならず、参加者に対する給与となります。

海外視察旅行については、**法人の事業の遂行上直接必要であると認められる場合に限り、旅費や滞在費などを損金**とすることができます。

13
損金処理

保険の積立金を経費にする

節税の効果
★☆☆☆☆

何年にもわたって積み立てた多額の保険金は、いつ、どのようなタイミングで損金になるのでしょうか。ケースごとに確認していきましょう。

損金になる3つのパターン

①保険事故が発生した場合

保険事故が発生し、保険金の支払いがされた場合、そのことによって**保険契約が失効となるのであれば、積立金の額は損金**となります。

逆に、保険事故が発生しても、保険契約が失効しない場合は、積立金は損金とならず、そのまま積み立てておくことになります。

②保険を解約した場合

保険契約を解約して払い戻しを受けた場合には、積立金の額が損金となります。

このとき、法人が保険会社から受け取る解約返戻金の額は、法人の益金となります。

③保険の名義を変更した場合

保険契約を法人から個人へ名義変更した場合も、積立金の額は損金となります。

このとき、法人が個人から受け取る金銭（資産計上額など）がある場合には、法人の益金となります。

これらのほかにも、**保険契約の転換や払済保険へ変更した場合にも、積立金の額が損金となり、資産計上額は益金**となります。

したがって、保険の解約や名義変更、転換などを検討する場合には、積立金の額、解約返戻金の額、解約などによって発生する法人税等の負担額などを網羅的に把握し、タイミングを見極めることが重要です。

保険は万が一の事態に備えて加入するものですが、法人の資金繰りなどにも大きく影響してくるので、出口まで考えた長期的な視野で検討しなければなりません。以前は保険による節税はポピュラーな手法でしたが、税制改正によりメリットが少なくなっています。保険の加入は十分に検討するようにしてください。

14
損金処理

ゴルフクラブなどの費用を経費にする

節税の効果
★★★☆☆

ゴルフクラブやスポーツクラブの会費や利用料を会社の損金にしたい場合、どのような点に気をつければよいでしょうか。

これまで説明しているとおり、**法人の事業との関連性がなければ、法人の損金にすることはできない**ので、理由づけを考える必要があります。

福利厚生制度であることを明確化する

①接待ゴルフ

取引先とのゴルフは、法人にとって重要な**商談の場**と考えられます。ゴルフ場といういつもとは違う環境で、ゴルフをプレーしながら取引先と商談をしたり、本音を聞きだしたり、親睦を深めることによって新たな営業先を紹介してもらったり、というチャンスがたくさんあるでしょう。

　このような**取引先の接待のためのゴルフの利用料を法人が負担した場合には、法人の事業との関連性が認められるので、交際費として損金にすることが可能**と考えられます。
　もちろん、取引先の接待とは関係ないプライベートな利用の場合には、事業との関連性が認められないので、法人が負担した利用料は個人に対する給与となります。役員の場合には、定期同額給与に該当しないため、全額が損金となりません（P100〜101参照）。

②スポーツクラブ

　スポーツクラブの会費については、**全社員の健康増進を目的とする福利厚生制度であれば、福利厚生費として法人の損金とすることが可能**でしょう。

　福利厚生制度ですので、役員など一部の人に限定してはならず、全社員を対象とする必要があります。もし一部の人に限定した場合には、先ほどと同様に、個人に対する給与となります。

　法人がゴルフクラブやスポーツクラブの会費を負担する場合には、福利厚生制度であることを明確にするために、規程を定めてルールや利用方法などを明確にしておくとよいでしょう。

15
税制の恩恵

会社を複数つくる分社化で法人税を節税

節税の効果
★★★★☆

法人税は累進税率が適用されており、**資本金1億円以下の一定の法人の場合、所得金額が年間800万円までは軽減税率の恩恵を受けることができます**。一般の法人税率が23・2％であるのに対し、軽減税率は15％になるので、実に8・2％も低い税率が適用されることになります。最大で「800万円×8・2％＝65万6000円」も節税できることになるので、かなり大きなメリットであるといえるでしょう。

また、法人住民税および法人事業税についてもこういった累進税率があり、所得金額が少なければ税金が少なくなるような税制となっています。

①法人住民税（東京23区内に事務所がある場合）
・資本金1億円以下、かつ、法人税額1000万円以下……7・0％
・それ以外……10・4％

②法人事業税（東京都、事業所が1カ所の場合）

・資本金1億円以下、かつ、年所得金額2500万円以下
年400万円以下……3・5％
年400万円超800万円以下……5・3％
年800万円超……7・0％
・それ以外
年400万円以下……3・75％
年400万円超800万円以下……5・665％
年800万円超……7・48％
※法人事業税の税率の判定についてはP253参照

中小・大企業どちらでもメリットの大きい分社化

そこで検討したいのが**分社化**です。ひとつの会社で異なる事業をやるような場合は、別会社をつくることで法人数を増やし、軽減税率の恩恵を受けることができます。ひとつの法人よりも複数にしたほうが節税メリットは大きくなります。ただし、既存事業を分割して新会社を設立したような場合は、このような恩恵を受けられないケースがあるので、注意が必要です。必ず専門家に相談するようにしてください。

例・1500万円の所得金額を分社化した場合

所得金額 **1500万円　1社の場合**

400万円×21.4%+400万円×23.2%+700万円×33.6%+7万円（均等割）=420万6000円

所得金額 **750万円　2社の場合**

（400万円×21.4%+350万円×23.2%+7万円）×2=347万6000円

差額

420万6000円 − 347万6000円

73万円の税額減

※税率は実効税率とし、均等割は最低額としている

また、中小法人の場合は、**交際費が年間800万円までは全額損金算入するこ**とができます。分社化をした場合は、「会社の数×800万円」までを損金算入することができるので、交際費を多く使う業種の場合は、こちらのメリットも大きいでしょう。

分社化をすることで手間は増えますが、節税メリットも大きくなるので、ある程度の規模になってきたら会社を複数つくることを検討してみてもよいでしょう。

16 賃上げ税制

従業員の給与を上げて法人税等を控除する

節税の効果 ★★★☆☆

2022年4月1日以降開始事業年度より適用が開始した「賃上げ促進税制」。これは、従業員の賃上げに積極的に取り組む企業をサポートする税額控除税制です。2022年3月31日開始事業年度までは、「所得拡大促進税制」がありましたが、この内容が拡充され、賃上げ促進税制に変わりました。これらの制度は、「租税特別措置法」という期間限定の法律（時限立法）によって定められているため、毎年のように要件や控除額が変わります。また、大企業と中小企業では要件などが異なるので注意が必要です。

ここでは、中小企業向けの賃上げ促進税制を解説します。

賃上げ促進税制の概要

賃上げ促進税制とは、従業員の給与などを前年度より一定以上アップさせると、その増加額の15%〜30%を、年間の法人税額から控除できる制度です。従業員給与の増額は会社

中小企業の賃上げ促進税制の控除率

	適用要件	控除率
通常要件	雇用者給与等支給額が前年度と比べて1.5%以上増加	15%
上乗せ要件	①雇用者給与等支給額が前年度と比べて2.5%以上増加	＋15%
	②教育訓練費の額が前年度と比べて10%以上増加	＋10%

出所：経済産業省「中小企業向け賃上げ促進税制ご利用ガイドブック」より編集部作成

にとって負担の大きいコストですが、会社が成長するためには欠かせない人材への投資です。税額控除を利用できれば、その分だけ税金の負担を軽減することが期待できます。さらに、教育訓練費の増加の要件も満たすと、10%の税額控除額を上乗せすることができます。従業員のキャリアアップ、スキルアップのための研修等を実施することで、中長期的な人材育成をしながら税金も安くなる、というお得な制度です。

すべての要件を満たした場合、増加した給与等の最大40%相当の税金を下げる効果が期待できるでしょう。

適用対象となる法人

賃上げ促進税制は、青色申告書を提出する法人が、次のいずれかに該当する場合に、適用を受けることができます。

・資本金や出資金が1億円以下の法人（同一の大規模法人から2分の1以上の出資、2以上の大規模法人から3分

賃上げ促進税制の概要

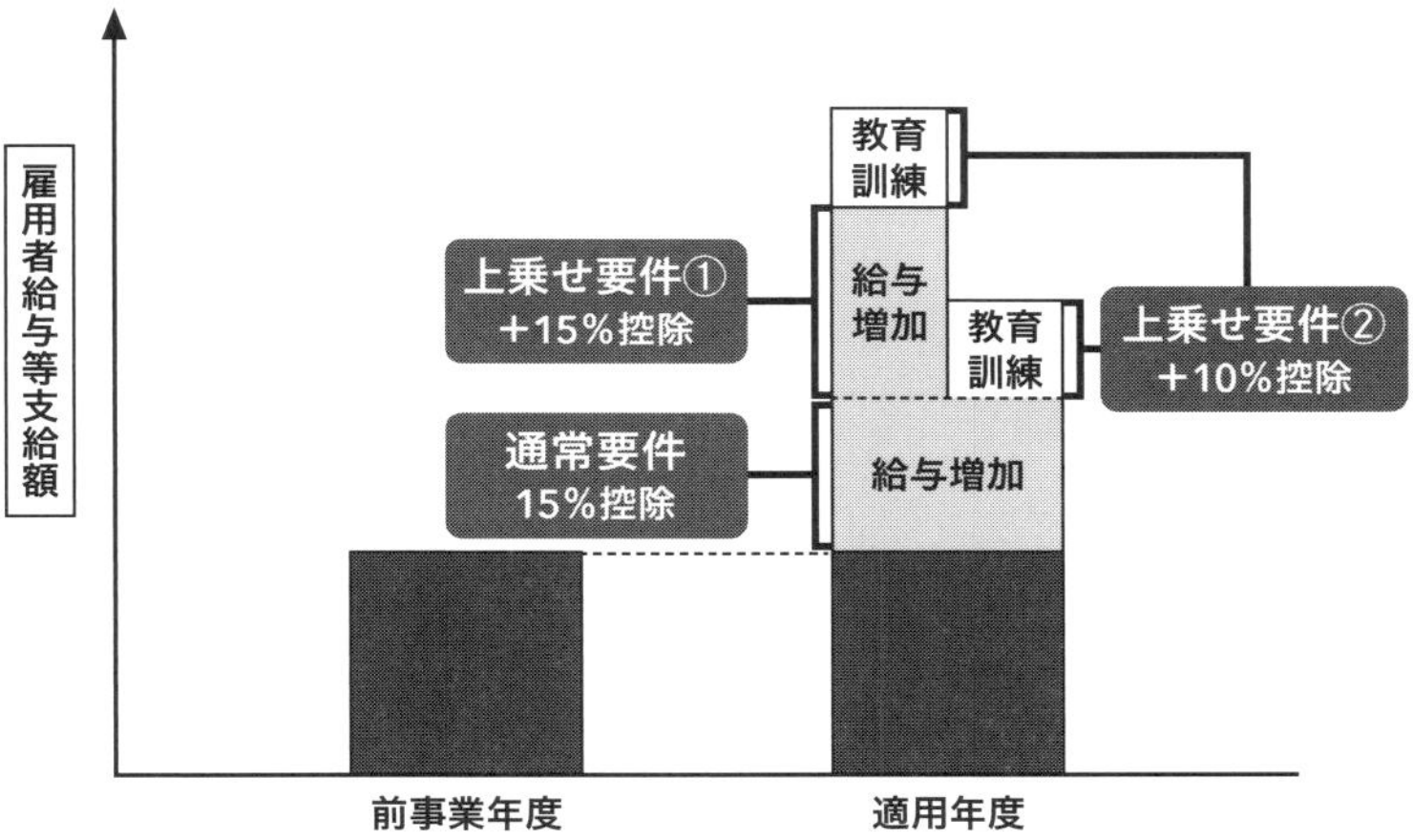

出所：経済産業省「中小企業向け賃上げ促進税制ご利用ガイドブック」より編集部作成

の2以上の出資、前3事業年度の所得金額の平均額が15億円を超える法人を除く）

・資本金等を有しない法人で常時雇用人数が1000人以下の法人
・常時雇用の従業員が1000人以下の個人事業主
・協同組合など

通常の適用要件

賃上げ促進税制が適用されるには、「雇用者給与等支給額」が前年度と比べて1・5%以上増加していることが求められます。増加額の15%を法人税額から控除できます。雇用者給与等支給額とは、国内雇用者に対する給与や賞与などをいい、正社員、パート、アルバイト、日雇い労働者などに対するものを含み、助成金などがあればそれを差し引いて計算します。

また、役員や役員の親族に対する給与なども除外する必要があります。既存の従業員の給与などを上げて増加率を満たしても、新規で雇用して総人件費を増加させて増加率を満たしても、どちらの方法でも構いません。

2種類の上乗せ要件

通常の15%の控除に加えて、次の要件を満たすと、更に控除率がアップします。

上乗せ要件①：雇用者給与等支給額が前年度と比べて2・5%以上増加→控除率15%アップ

上乗せ要件②：教育訓練費の額が前年度と比べて10%以上増加→控除率10%アップ

税額控除額の上限

控除額は、法人税額の20%が上限です。

控除可能額が法人税額の20%以上になった場合、超える部分の金額は切り捨てられます。控除可能額を翌年に繰り越すことはできません。

決算を迎える前に要件の確認をする

制度の適用は、まず前期と比較して給与等が15％以上増加しているかどうかが肝心です。決算を迎える前に、給与の増加率がどの程度か、試算してみるとよいでしょう。もし「ほんの少しだけ足りない！」といった場合には、期末までに賞与を支給するなどして、増加率要件を満たすことも可能です。

賃上げ促進税制は税額控除制度のため、赤字の会社には導入のメリットはありません。いくら給与等が上がっていても法人税の納税がなければ、節税する必要がないのです。

また、給与等を一度上げると、そのあと下げることは容易ではありませんし、社会保険料等の負担も増えます。「当期の税金を減らすために賃金を上げよう！」という安易な考えは禁物です。経営計画や資金繰りなどの中長期的な目線から、賃上げを検討しましょう。

17

消費税

「原則」より少なく消費税を納税する

節税の効果
★★★

消費税の納税額は、課税売上から課税仕入（課税売上割合を加味）を控除して算定します。そうすると、「赤字の場合は消費税を納税する必要はないのか？」と思うかもしれませんが、**赤字でも納税するケースがあります。その原因となる代表格が「給与」です。**給与は消費税の非課税項目であるため、課税仕入とすることができません。

したがって、給与を含めないで赤字であれば、納税どころか払い過ぎた消費税を還付してもらえることにもなりますが、通常は給与を含めないでも赤字になるということはまずないので、納税するケースが多いでしょう。

このように、「課税売上高－課税仕入高」がゼロ超の場合は納税、ゼロ未満の場合は還付される計算方式を「原則法」といいます。なお、原則があれば例外があるのが世の常で、例外として消費税には簡易課税制度というものがあります。簡易課税の場合、概算の仕入率を使って納付する消費税額を算定します。仕入率は業種によって異なり、具体的には次

消費税率および地方消費税率

2019年10月1日から施行された資産の譲渡、課税の仕入れ、および保税地域から引き取られる課税貨物に適用される税率は、次の表のとおり

	標準税率	軽減税率
①消費税率	7.8%	6.24%
②地方消費税率	2.2%（消費税額の78分の22）	1.76%（消費税額の78分の22）
①と②の合計	10%	8%

出所：国税庁HP「消費税及び地方消費税の税率」より編集部作成

のとおりです。

・第一種事業（卸売業）……90％
・第二種事業（小売業）……80％
・第三種事業（製造業等）……70％
・第四種事業（その他の事業）……60％
・第五種事業（サービス業、保険業等）……50％
・第六種事業（不動産業）……40％

たとえばサービス業を営んでいる場合、「課税売上高に係る消費税額×50％」が納税額となります。給与の比率が高いような場合は、原則よりも簡易課税で申告したほうが有利になるケースが多いでしょう。まずは、自社における課税仕入の割合を算出して、上記のみなし仕入率と照らし合わせてみてください。簡易課税のほうが有利そうであれば、簡易課税制度を選択したほうがよいでしょう。

ただし、簡易課税制度を受けるには、2つの条件があります。ひとつめは基準期間における**課税売上高が5000万円以下**であることです。5000万円超の場合は選択できません。2つめは、簡易課税の適用を受けようとする事業年度開始日の前日（=前事業年度の末日）までに、**消費税簡易課税制度選択届出書**を提出しなければならないことです。「当期から受けます」というのはできません。

簡易課税の2つのデメリットを理解しておく

また、簡易課税には2つのデメリットがあります。ひとつめは一度簡易課税を選択したら2年間は簡易課税を続けなければならないという制度です。

2つめは、必ず納税になるということです。売上高に対して仕入率を乗じて納税額を計算する仕組み上、還付を受けることができません。設備投資をした場合などは多額の課税仕入が生じますが、簡易課税ではその分の課税仕入を控除することができないので、**設備投資の予定がある時期については、簡易課税の適用を受けない**ほうがよいでしょう。

自社の設備投資計画も勘案して、原則が有利か、簡易が有利かを判定して選択するようにしましょう。なお、簡易課税をやめる場合は、やめようとする事業年度開始日の前日までに消費税簡易課税制度選択不適用届出書を提出する必要があります。

18
税制の恩恵

海外進出する場合は現地法人の設立を検討

節税の効果
★★☆☆☆

近年では、海外進出をする企業が増加してきています。海外では、日本より低い税率の国や地域がたくさんあるので、そういった場所で事業を行うのであれば、日本法人としてよりも現地法人を設立して低い税率の恩恵を受けたほうが得になります。

課税適用除外の要件とは？

しかし、そんなにうまい話ばかりではないもので、日本法人または居住者が合計で50％超を直接および間接に保有する海外子会社を有する場合は、**タックスヘイブン対策税制の適用を受ける**ことになり、海外子会社の所得の全部または一部を日本法人の所得として計上しなければならなくなります（P28～29参照）。

ただし、適用が除外される要件があり、具体的には以下の4点になります（ペーパーカンパニー等の場合はこれらの基準は適用されず、当該国または地域の税負担率が30％未満であれば全額が合算課税の対象となります）。

①事業基準……主たる事業が株式の保有、船舶・航空機リース等ではない

②実体基準……本店所在地国に主たる事業に必要な事務所等を有する

③管理支配基準……本店所在地国において事業の管理・支払い・運営を自ら行っている

④所在地国基準……次の２つのケースがあります。

・左記以外の業種→主として所在地国で事業を行っている

・非関連者基準（卸売業など7業種）→主として関連者以外の者と取引を行っている

これらの要件をすべて満たし、かつ、当該国または地域の税負担率が20％以上の場合は合算課税を免れることができ（特定の外国関係会社を除く）、20％未満の場合は受動的所得（利子・配当・無形固定資産の使用料など）部分が合算課税されることになります。

また、いずれかの要件を満たさない場合は、当該国または地域の税負担率が20％以上であれば合算課税の適用は受けませんが、20％未満の場合は全額が合算課税となります。

何やら難しい話をしてしまいましたが、要するに、現地で事業を真っ当に行っていれば、**税負担率が20％未満であっても、受動的所得部分しか課税されない**ので、大きな影響はないということになります。

19
損金処理

10万円以上の固定資産を短期間で償却する

節税の効果
★★☆☆☆

10万円以上の固定資産は、原則として減価償却によって毎期費用化しなければなりませんが、例外的に、もっと短期間で償却できる方法があります。

①一括償却資産

20万円未満の固定資産を一括償却資産といい、税務上3年間で損金とすることができます。償却費は、取得価額の合計額×当期の月数／36で計算します。ただし、翌期以降に売却や廃棄処分等をしても、3年間は同様の処理で償却費を計上しなければなりません。

たとえば、18万円のPCを10台、期末の最終月に購入して利用を開始したとします。一括償却資産として処理すると、「180万円×12／36＝60万円」をその事業年度の償却費として損金とすることができます。翌期および翌々期も同額です。

②少額減価償却資産

中小企業者等（資本金の額が1億円以下などの法人）の場合、**取得価額が30万円未満の**

少額減価償却資産を取得したときは、全額を損金（1事業年度あたり300万円が限度）とすることができます。

なお、いずれの規定も貸付用（主要な事業用を除く）の資産については適用できません。

積極的に利用すべき資産制度

先ほどのPC10台を少額減価償却資産として処理すると、180万円全額を取得した事業年度の損金とすることが可能です。

もし、このPCを通常の方法で減価償却すると、耐用年数は4年、定率法償却率は0・500なので、初年度の減価償却費は、「18万円×0・500×1月／12月×10台＝7万5000円」となります。

取得した事業年度の損金になる金額は、一括償却資産として処理すると60万円、少額減価償却資産として処理すると180万円、通常の固定資産として処理すると7万5000円と、大きく差が開いています。一括償却資産や少額減価償却資産として処理したほうが、通常の償却よりも損金化できるタイミングが早いため、お得といえます。

10万円超20万円未満（中小企業者等の場合には30万円未満）の資産を取得した際は、積極的にこれらの制度を活用するとよいでしょう。

20
税制の恩恵

資本金を1億円以下にしよう！

節税の効果
★★☆☆☆

資本金が1億円以下の法人（大規模法人や大法人と一定の関係がある場合を除く）には、次のようなお得な規定が適用されます。

①軽減税率
②年800万円の交際費枠
③繰越欠損金の全額控除
④欠損金の繰戻還付
⑤少額減価償却資産の損金算入特例の適用
⑥留保金課税免除
⑦各種特別控除、特別償却の適用
⑧外形標準課税の適用除外

以下、順に説明していきます。

資本金1億円以下の法人の法人税の税率

	適用関係 平成30年4月1日以後 開始事業年度
中小法人、一般社団法人等、公益法人等とみなされているものまたは人格のない社団等 **年800万円以下の部分**	**15%** (19%)※
中小法人、一般社団法人等、公益法人等とみなされているものまたは人格のない社団等 **年800万円超の部分**	**23.2%**

※2019年4月1日以後に開始する事業年度において適用除外事業者に該当する法人の場合

出所：国税庁HP「法人税の税率」より編集部作成

8つの規定をうまく活用する

①税率軽減

資本金1億円超（100億円以下）の法人の場合は、法人税の税率は23・2%となりますが、資本金1億円以下の法人は、**年800万円までの所得については15〜19%の税率**となります。

②年800万円の交際費枠の適用

資本金1億円超（100億円以下）の法人の場合は、外部との飲食代の50%が損金算入されますが、資本金1億円以下の法人の場合は、「外部との飲食代の50%」と「年間800万円」のうちいずれか多い金額までが損金算入されます。すなわち、**年間800万円までは用途を問わず無条件に損金算入される**ことになります。

③繰越欠損金の全額控除

資本金1億円超の法人の場合は、過去10年以内（2018年4月1日以降開始事業年度の場合）に発生した繰越欠損金のうちその事業年度の所得金額の50／100までを当期の所得金額から控除することができます。これに対し、資本金1億円以下の法人の場合は、過去10年以内に発生した繰越欠損金のうちその事業年度の所得金額までを控除できます。すなわち、当期の所得金額より過去10年以内に発生した繰越欠損金のほうが多い場合は、当期の所得はゼロということになります。

④欠損金の繰戻還付

この制度は、青色申告書である確定申告書を提出する事業年度に欠損金額が生じた場合（「欠損事業年度」）において、その欠損金額をその事業年度開始の日前1年以内に開始した事業年度（「還付所得事業年度」）に繰り戻して法人税額の還付を請求できるというものです。

たとえば、前期1000万円の課税所得が出て法人税を150万円支払っていた場合で、当期1000万円の欠損となったときは、前期支払った150万円の法人税の還付を受けられるということになります。

欠損金の繰戻還付制度は、**資本金1億円超の法人の場合は受けることができず、資本金1億円以下の法人のみ**が受けることができます。

⑤少額減価償却資産の損金算入特例の適用

資本金1億円超の法人が30万円未満の固定資産を取得した場合、法定耐用年数に応じて各事業年度で減価償却を行うのに対し、資本金1億円以下の法人の場合は、**年間３００万円までは全額を損金算入できます**（P１３３〜１３４参照）。

⑥留保金課税免除

特定の同族会社（株主1グループで50％以上の株式保有等）が、利益を配当等せず内部留保をした場合には、課税留保金額に10〜20％を乗じた金額が、通常の法人税とは別に課されてしまうという制度です。

この制度は、資本金1億円超の法人の場合は対象となり、資本金1億円以下の法人は、適用が除外されています。

⑦各種特別控除、特別償却の適用

次のような特別償却や特別控除については、資本金1億円超の法人は受けることができず、資本金1億円以下の法人のみが受けることができます。

・中小企業等経営強化税制
・中小企業投資促進税制（特別償却のみ）

⑧外形標準課税の適用除外

外形標準課税適用法人における事業税の構成

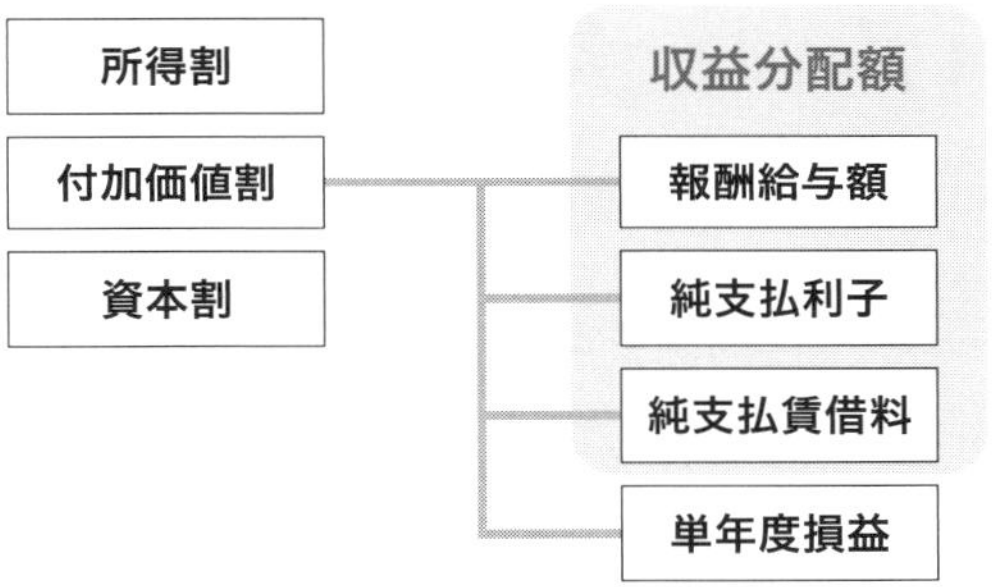

出所：東京都主税局「法人事業税に係る外形標準課税の概要」より編集部作成

外形標準課税とは、地方税の計算において赤字でも課税できるように、儲け（所得）のみに課税するのではなく、報酬給与、利子、賃借料、資本金に対しても税金を課す課税方式をいいます。

この外形標準課税ですが、資本金1億円超の法人が対象法人となり、資本金1億円以下の法人には適用されません。

これらのように、資本金が1億円以下と1億円超では、適用の有無がかなり異なってきます。**1億円以下のほうが有利な制度が多い**ので、資本金1億円以上の法人である場合は、減資の検討をしてみてもよいかもしれません。

コラム

クラウド会計の導入でタイムリーな試算表作成を

節税のために何より重要なことは、そもそも自社の税金がどのくらい発生するかを把握することです。そのためには、タイムリーな試算表の作成が必須となります。

そこで、毎月の試算表の作成ですが、近年クラウド会計を採用する企業が急速に伸びています。

クラウド会計とは、インターネット上のサーバーにアクセスして、サーバー内で仕訳入力を行う方法です。従来は、会計ソフトをPCにインストールしてから仕訳を入力するため、会計ソフトのインストールされたPCでしか入力ができませんでした。

クラウド会計では、サーバーにアクセスできればどのPCからでも入力が可能となります。よって、たとえば、会社の経理担当者が仕訳を入力し、ちょっと自信がないときは顧問税理士に電話し、お互い離れたところで同じ画面を見ながら議論し、仕訳の修正をするといったことが可能になります。

また、銀行データやカードデータの取り込みが可能となっているので、経費勘定だけ入力すればよいことになります。さらに、AI機能がついており、過去に入力した内容のものは科目を自動で推定してくれたりと、旧来の入力方法にはなかった画期的な方法が散りばめられています。

毎月使用料が発生することや、サーバーにアクセスする関係で入力スピードがやや遅かったりすることなど、万能というわけではありませんが、タイムリーな試算表作成を行うためにクラウド会計の導入を検討してみましょう。

4

積極的にやりたい節税策

01
損金処理

積極的にやりたい節税策 期ズレでも効果大な手法

この章で紹介する節税策は、今すぐにできる節税策ではないものもありますが、該当した場合は積極的にやっていきたい節税策です。基本的には期ズレなのですが、金額が多額になり、かつ、期ズレの期間が長くなるものがあります。こういった場合、取り戻されるまで時間がかかるので、期ズレであっても積極的にとっていきたい手法です。

期ズレでも効果的な節税策

簡単に分類すると、次のようになります。

①資産取得関係
②その他

①の資産取得関係については、建物や構築物のように償却期間が長いものについて、そ

の期間を短くするような手法を紹介します。10年、20年かけて経費にするのは気が遠くなるでしょうが、この手法を使うことで、ある程度まとまった金額を、短期間で経費にすることが可能になります。設備が古くなってくると収益性も悪化するので、収益性が高い初期に多額の経費を計上することで、課税所得をコントロールすることが可能になります。設備投資をした場合などは、必ず実施するようにしてください。

②のその他については、あまり該当することはないでしょうが、給与を減らしたり、所得をコントロールしたりして、あえて当期の税金を増やすことで節税するというトリッキーな方法になります。

いずれの方法についても、**細かい注意点があるので各項をよく読んで理解を深めてから実施する**ようにしてください。また、顧問税理士がいる場合は、**必ず顧問税理士の判断も仰ぐ**ようにしましょう。そうすることで、リスク回避することができるでしょう。

なお、以前は保険関係で多額の損金を計上する方法がありましたが、現在は節税メリットがあまりなくなったため、おすすめできません。

02
損金処理

退職金の3つのメリット

節税の効果
★★★★☆

退職金という経費は税制上、非常に優遇されています。退職金のメリットは「退職所得控除」「1／2課税」「分離課税」の3点です。

退職金にかかる税金は抑えられる

退職所得控除は「給与所得控除」のように、無条件で所得を控除することができる制度です。退職所得控除は勤続年数により算定され、勤続年数20年以下の場合は「40万円×年数」、20年超の場合は、「800万円（40万円×20年）＋70万円×20年超の年数」となります（1年未満の端数は切り上げて1年とします）。たとえば、勤続30年の場合、「800万円＋70万円×10年＝1500万円」も控除することができます。この場合、退職金が1500万円以下であれば、全額控除となり、税金は1円もかかりません。

退職所得控除だけでも結構な金額になりますが、さらに**控除後の金額に1／2を乗じた**

退職金３つのメリットを活用した事例

例）勤続30年6カ月、退職金3000万円の場合

800万円+70万円×11年=1570万円	➡	退職所得控除額
(3000万円−1570万円)×$\frac{1}{2}$=715万円	➡	課税対象額
715万円×23%※−63万6000円※=100万8500円	➡	所得税額

※所得金額「695万円超900万円以下」の場合の税率と控除額

金額が課税対象額となります。したがって、先の事例で退職金が２０００万円とした場合、「２０００万円−１５００万円＝５００万円」の１／２である２５０万円が課税対象額となります。

最後に分離課税です。分離課税の場合は分離課税単独で税計算を行うので、給与所得等に加算されません。所得税は超過累進税率が適用されるので、所得が高くなると税率も高くなるのですが、退職所得は別に計算をするので悪戯に税率が高くなることがありません。

少し難しい部分もあるので、簡単な事例で検証してみましょう。上図を参照してください。

３０００万円の収入に対し、税額は約１００万円となります。実効税率はわずか３・３％です。ここまで低い税率が適用されるのは退職所得以外にありません。なお、仮に３０００万円を給与所得で受け取った場合の所得税額は約８３０万円となり、７００万円以

上の節税効果があります。
退職所得にかかる税額は相当少なくなるので、毎月の役員報酬を少し下げて退職金で受け取るようにすれば、個人の手取り金額を最大化することが可能になります。

役員退職金には一定の制限がある

退職金は税制の優遇がかなりあり、役員報酬で取るよりも退職金で取ったほうが得なので、退職所得の恩恵を受けるための調整をすることが考えられます。その対策として、課税当局では役員退職金に対して一定の制限を設けています（勤続5年以下の従業員の場合にも一定の制限があります）。

ひとつめは、**短い勤続年数の場合の制限**です。２０１３年以降、役員としての勤続年数が5年以下の場合は、退職所得の金額の計算において、１／２を乗じることができなくなりました。短期間の勤続年数でも１／２とすることを許してしまうと、会社を作って短期間で清算し退職金を得、また会社をつくって……というスキームがまかり通ってしまうためです。

2つめは**不相当に高額な金額の場合、税務否認される**制度です。たとえば、退職直前の役員報酬が10万円、退職金が1億円といったように、月額報酬と退職金に著しい乖離があるような場合は注意が必要です。仮に税務否認された場合、その否認金額は役員賞与として全額損金不算入となってしまうので、全く意味のないものとなってしまいます。税務否認されないためには、次の算式で計算した金額の範囲内としておくのがよいでしょう。もちろん、実態によって否認されるケースもありますが、ひとつの指標にはなるので、頭に入れておいてください。

役員退職金は、一般的に「**最終役職報酬月額×役員在任期間×功績倍率**」で計算されます。このなかの功績倍率には、何か決まった倍率があるというわけではなく、退職する役員の在籍中の貢献度を考慮し何倍にするかを決めることになります。たとえば、代表取締役は3倍、専務取締役は2・5倍、常務取締役は2倍といったように決定していきます。もちろん、あまりに高率になっていると税務否認される可能性が高くなりますが、この例で表示した程度の倍率であれば、税務否認される可能性は低いでしょう。また、この記算式で計算した結果が、同業他社の役員退職金と同程度であればよいのですが、突出して高いような場合は、高いことについての理由付けが必要となります。

最後に、役員退職金の算式や功績倍率を決定したら、役員退職金規程を作成しておくと、より客観性が増してよいでしょう。

03
税額控除

当期の税額を減らす税額控除を取りきる

節税の効果
★★★☆☆

税額控除は当期の税額を直接減らすことができ、かつ、取り戻されないものなので非常に有用な制度です。ただし、無制限に税額控除できるわけではなく、当期の法人税額に制度ごとに定められた一定割合を乗じた金額までと制限されています。

また、税額控除を取りきれなかった場合、翌期に繰越できるものとできないものとがあり、繰越ができないものについては、取りきれなかった時点で権利放棄することになってしまいます。せっかくの税額控除なので、できれば全部取りきりたいものですが、どうしていけばよいのでしょうか。簡単な事例で確認していきましょう。

例

賃上げ促進税制を適用、雇用者給与等支給額の増加額……100万円
当期の所得金額……900万円、当期の法人税額……135万円
期ズレ前払費用……100万円

あえて益出しをして税金を増やす

賃上げ促進税制の場合、**雇用者給与等支給額の増加額の最大30％が税額控除の対象**となります。また、法人税額の20％が限度額であり、取りきれなかった場合の繰越は認められません。現状では「１００万円×30％＝30万円」の控除枠があるのですが、法人税額の20％が「１３５万円×20％＝27万円」しかないため、3万円は切り捨てられてしまいます。

そこで、あえて所得を増やして法人税額を増加させ、限度額を増やしています。期ズレが１００万円あるのでこれを取らなければ当期の所得は１０００万円となり、法人税額は１０００万円×15％＝１５０万円になります。「１５０万円×20％＝30万円」なので、控除対象額以上となり、税額控除がすべて取りきれることになりました。

結果として、当期の法人税を12万円多く支払うことになりますが、当期に入れなかった期ズレ分を翌期に取れれば、翌期の法人税が15万円少なくなるので、２年間トータルでみると、税額控除が取れた分の3万円が納税減となります。

しくみさえ理解していれば簡単なので、税額控除が取りきれないような状況があれば、あえて「益出し」をして税金を増やし、税額控除を取る方法を検討してみてください。

04
税制度

地方拠点強化税制で優遇措置が受けられる

節税の効果
★★★★★

地方に拠点を移すと優遇措置を受けられる

東京一極集中の解消と、地方への新たな人の流れを生み出すことを目的とする「地方拠点強化税制」があります。この制度は、次の要件に該当する場合に、優遇措置を受けることができます。

本社機能※1の一部または全部を

- **東京23区から、地方に移転【移転型※2】**
- **地方で拡充【拡充型※2】**
- **東京23区以外から、地方に移転【拡充型※2】**

※1 事務所・研究所・研修所などが該当し、工場・店舗は対象外となる
※2 移転先、拡充する地域は一部対象外となる地域がある

優遇措置を受けるための要件

地方拠点強化税制の適用を受けるためには、次の要件を満たす必要があります。

①都道府県から整備計画の認定を受ける

②確定申告を行う

優遇措置の内容

地方拠点強化税制の優遇措置は次の2種類がありますが、基本的に同じ事業年度で重複適用はできず、どちらかを選択することになります。

①設備投資減税（オフィス減税）

要件：対象設備投資2500万円（中小企業者の場合は1000万円）以上の建物などを取得すること

【移転型】特別償却25％または税額控除7％※3

【拡充型】特別償却15％または税額控除4％※3

②雇用促進税制

要件：地方拠点で本社機能に従事する雇用者が増加すること

【移転型】初年度は「雇用者増加数×最大90万円」、2〜3年目は、「雇用者増加数×最大40万円」の税額控除※3

【拡充型】初年度のみ「雇用者増加数×最大30万円」の税額控除※3

※3 当期法人税額の20%が優遇の限度額

整備計画の認定はいつまでに受ける?

本社機能を移転または拡充させる場合、当該地域の都道府県から、設備計画の認定を受けなければなりません。設備を新設・増設する場合は、建物の着工前まで。設備を賃借する場合は賃貸借契約の締結前までに認定を受けましょう。

ここに記載した以外にもかなり細かな要件がありますので、適用にあたっては、優遇措置を受けることができる地域であるかどうかを確認し、整備計画について都道府県に早めに相談するとよいでしょう。

05
税制の恩恵

社宅や福利厚生を充実させて給与を減らす

節税の効果
★★★★★

これまで、社宅制度や食費補助、新年会や忘年会などの福利厚生制度について紹介しましたが、これらの節税メリットは、同額の給与を支給するよりも大きいのです。

福利厚生を充実させる節税メリット

法人が負担した福利厚生費は会社の損金になり、その分会社の税金が安くなりますが、その恩恵を受ける個人には課税がされません。これは非常に大きな節税メリットです。

福利厚生費ではなく同額の給与を支給したとすると、その給与は法人の損金にはなりますが、個人の給与所得が増えて税負担が増加します。さらに、給与が増えると法人と個人の社会保険料の負担も増えるので、福利厚生費は給与と比べるとはるかにお得なのです。

また、福利厚生費の大半は、飲食費など消費税のかかる取引なので、福利厚生費が法人の損金になると同時に、消費税の負担を抑えることができます。これに対して、給与は消費税のかからない取引のため、給与をいくら増額しても消費税の納税額を減らすことはできません。

このように、**福利厚生制度は、法人税、消費税、所得税など、複数の税金において節税効果が期待できる**ので、福利厚生制度を充実させ、その分給与を下げることができれば、法人・個人両方の税金を安くできる可能性があります。

これらの節税メリットのほかにも、福利厚生制度には次のようなメリットもあります。

節税効果以外にもうれしいメリット

経営が厳しいときでも役員報酬は毎月同額でなければなりませんし、社員の給与を減らすことも容易ではありません。しかし、社員旅行や新年会などは、経営状況によって中止したり、規模を小さくしたりすることが可能です。

また、福利厚生制度が充実していると、役員や社員が気持ちよく働くことができ、会社のイメージアップも図れ、支出額以上の副次的な効果も期待できるかもしれません。

福利厚生制度は、紹介した以外にもさまざまなものがあるので、どのような福利厚生制度が会社にとって有用か、役員や社員にとってうれしい制度か、そして給与課税されないものなのかどうかなどを調べ、検討してみるとよいでしょう。

06
損金処理

見積書や請求書は内訳を細かく記載する

節税の効果
★★★★☆

　固定資産を新規に購入する際は、**なるべく細かい単位で見積書や請求書を記載してもらうことが肝心です。**

なぜなら、10万円未満で固定資産としなくてよいものや、一括償却資産や少額減価償却資産（P133～134参照）の判断は、1単位ごとの金額に基づくからです。

たとえば、応接セットの場合は、テーブルとイスがセットになって機能するものなので、テーブルとイスのセットで1単位と考えます。

また、カーテンの場合は、1枚で機能するものではなく、ひとつの部屋で数枚が組み合わされて機能するものなので、部屋ごとに1単位と考えます。

　では、中小企業者等が社長室と副社長室、執務室を模様替えした場合について考えてみましょう。

「〇〇一式」とひとまとめにしない

見積書のカーテンの欄には、「カーテン一式55万円」と記載されていたとします。このままでは、55万円の固定資産の取得として処理するしかありません。

そこで、「カーテン一式55万円」の内訳を確認してみたところ、次の通りでした。

・社長室……15万円
・副社長室……15万円
・執務室……25万円

この場合、もちろん通常の耐用年数で償却しても構わないのですが、社長室と副社長室のカーテンは、一括償却資産、少額減価償却資産または減価償却資産、執務室は少額減価償却資産とすることも可能です。

見積書のカーテンの欄を「一式」ではなく、部屋ごとに記載してもらうなどの工夫をするだけで、**少額減価償却資産かどうかの判断が明確になり、償却方法の選択肢を増やすことができる**のです。

見積書などには、なるべく細かく内訳を記載してもらい、10万円未満のものや一括償却資産、少額減価償却資産とすることができるものがないか、よく確認することが大切です。

07 損金処理

見積書は穴が開くほど確認する

節税の効果
★★★★☆

見積書や請求書などの内容を、細かいところまで確認してから経理処理をしないと、税金を多めに負担してしまう可能性があります。なぜなら、固定資産にすべきものと、その事業年度の損金としてよいものなどが混在している可能性があるからです。

たとえば、機械を購入した場合の見積書を考えてみましょう。見積書の合計額は130万円で、その内訳は次のようになっていました。

①機械の本体価格……100万円
②機械を工場に設置するためにかかった費用……10万円
③日頃のメンテナンスのために必要な潤滑油や軍手などの消耗品……20万円

項目を細かく分けて固定資産計上額を減らす

では、このうち固定資産に計上しなければならないのはいくらでしょうか。

減価償却資産の取得原価額に含めないことができる付随費用

①次のような租税公課等
・不動産取得税または自動車取得税
・新増設にかかる事業所税
・登録免許税その他登記または登録のために要する費用

②建物の建設等のために行った調査、測量、基礎工事等でその建設計画を変更したことにより不要となったものにかかる費用

③いったん結んだ減価償却資産の取得に関する契約を解除して、他の減価償却資産を取得することにした場合に支出する違約金

④減価償却資産を取得するための借入金の利子（使用を開始するまでの期間にかかる部分）
※使用を開始した後の期間にかかる借入金の利子は、期間の経過に応じて損金の額に算入します

⑤割賦販売契約などによって購入した減価償却資産の取得価額のうち、契約において購入代価と割賦期間分の利息や売手側の代金回収のための費用等が明らかに区分されている場合のその利息や費用

出所：国税庁HP「減価償却資産の取得原価額に含めないことができる付随費用」より編集部作成

固定資産の取得価額には、「その資産の購入代価とその資産を事業の用に供するために直接要した費用」を含めなければならないので、①と②は固定資産になります。③は普段必要な消耗品を同時に購入しただけなので、固定資産に含める必要はありません。

見積書の内容をしっかり確認しないと、１１０万円でよいはずの機械の取得価額が１３０万円になってしまいます。固定資産に計上する必要のないものは、なるべくその事業年度の損金としたほうがお得です。

08
損金処理

中古の資産購入で当期の税金を大幅カット

節税の効果
★★★

減価償却（P81〜83参照）の計算要素のうち、唯一手を入れることができるのが耐用年数です。耐用年数が短ければ短いほど、資産を早く費用化することができるので、短くできるのであれば短くしたいところでしょう。

耐用年数省令に定められている耐用年数は新品資産が基準となっており、中古資産の場合は異なる耐用年数となっています。

・中古資産の経過年数が耐用年数のすべてを経過している場合

耐用年数×20％（2年未満の場合は2年）

たとえば耐用年数5年の資産の場合、「5年×20％＝1年→2年」となります。

・中古資産の経過年数が耐用年数のすべてを経過していない場合

（耐用年数−経過年数）＋経過期間×20％（2年未満の場合は2年）

たとえば耐用年数8年、経過年数3年の場合は、「(8年−3年)＋3年×20％＝5・6年→5年（端数切捨）」となります。

なお、経過年数に1年未満の端数がある場合は月単位で計算をします。最後に年換算して耐用年数を出すことになるので注意してください。

経費計上におすすめの中古資産

とはいっても、中古の資産を購入するケースは少ないでしょう。エアコンやテレビを中古で購入することはまずありません。そうすると、どういった資産に適しているのでしょうか。答えは、乗用車です。中古車は広く一般に流通しているものであり、走行距離が短い乗用車であれば長く使うことができます。

それでは、何年落ちの乗用車を購入すれば、最短で費用化できるのでしょうか。年数で計算すると、次のようになります（なお、新車の耐用年数は6年です）。

（6年−4年）＋4年×20％＝2・8年→2年

4年落ちの乗用車であれば、最短期間である2年で償却をすることができます。正確にいうと、3年10カ月より以前の乗用車であれば2年償却となるので、中古車を購入する場合は何年落ちかを確認するようにしましょう。

そして、晴れて2年償却となった場合、購入年度の減価償却費はどのくらいになるでしょうか。定額法の場合は50％ですが、定率法であれば50％の2倍、つまり何と100％償却することができます。500万円の乗用車であれば、500万円全額を経費にすることができるので、かなりのインパクトになるのではないでしょうか。

ただし、減価償却は月割ですので、期中に購入した場合は月数按分が必要になります。決算月に購入したのであれば1／12しか減価償却できませんので、注意してください。なお、1カ月未満の端数がある場合は切り上げて1カ月として計算するので、期首の属する月（3月決算であれば4月）の末日までに購入すれば、100％まるまる経費にすることができます。

どうしても新車がいいというのでなければ、4年落ち以上の中古車を購入して、早く償却することで当期の税金を減らすことができます。中古車でも構わない方は、ぜひ活用したい制度といえます。

09
損金処理

20万円未満の繰延資産は早いタイミングで償却

節税の効果
★★★★★

支出する費用のうち、支出の効果が1年以上におよぶもの（固定資産や前払費用を除きます）を繰延資産といいます。繰延資産は、その支出の効果の及ぶ期間で償却しなければなりません。たとえば、オフィスを賃貸する際に支払う権利金などが該当します。２年間の賃貸契約で48万円の権利金を支払ったとすると、支払時に48万円の繰延資産を計上し、毎月２万円ずつ償却していくことになります。支出の効果の及ぶ期間で償却するのが原則ですが、例外的に、**法人の任意の期間で償却できる繰延資産**があります。支出した事業年度に即時償却することが可能なので、早いタイミングで損金とすることができます。

任意償却の繰延資産

①創立費

法人を創立するときにかかる費用です。たとえば、法人の商業登記費用、司法書士報酬、会社創立作業のための事務所の賃貸料、発起人への報酬などです。

②開業費

会社を設立してから開業するまでの間に、その開業準備のために支出する費用です。たとえば、取引先との打ち合わせ費用、あいさつ回りの手土産、HP制作費、チラシ印刷費、消耗品等購入費用などです。

③開発費

新たな技術の採用や、新たな経営組織の採用、資源開発、新市場を開拓するために支出する費用です。たとえば、新しい市場に参入するために、市場調査や広告宣伝を行った場合の費用や、専門家に対するコンサルティング費用などが該当します。

④株式交付費・社債等発行費

株式や社債などを発行するときに支出する印刷費や登記のための費用です。

また、任意償却の繰延資産以外にも、**支出額が20万円未満の繰延資産**は、その全額を支出事業年度の損金とすることが認められています。

即時償却が可能な繰延資産や20万円未満の繰延資産は、早いタイミングで償却して損金にしましょう。

10

消費税

消費税の届け出は2年単位で考えよう

節税の効果 ★★★

消費税には、さまざまな届出書が存在します。

その各種届出書のなかには、一度提出すると継続適用しないといけないものがいくつか存在します。そのなかでも特に気をつけないといけないのが次の2つです。

①消費税課税事業者選択届出書

消費税の納税義務がない免税事業者が、あえて納税義務者になることを選択するための届出書です。免税事業者の場合は納税義務がない代わりに、還付を受ける権利もありません。そこで、あえて課税事業者となることを選択し、還付を受けようというのが、この届け出の意図です。

還付を受けられる年度については有利になりますが、いったん課税事業者を選択すると、2年間継続して適用する必要があるため、注意が必要です。

たとえば、翌期は多額の経費が発生せず、普通に利益が出ることが予想される場合、翌期に限ってみると、免税事業者のままでいれば納税しなくて済んだものが、課税事業者を選択したことによって納税が義務づけられます。当期の還付だけでなく、翌期までの通算で損得を考えて届出書を提出する必要があります。また、課税事業者を選択する場合は、適格請求書発行事業者の登録申請をしておきましょう（P49〜52参照）。

②消費税簡易課税制度選択届出書

２年前の課税売上が５０００万円以下である課税事業者が、受け取った消費税の額から控除する支払った消費税の額を、実際に支払った金額に替えて、受け取った消費税に一定の率を乗じた金額とする方法（簡易課税）を選択するための届出書です。詳しくはＰ１２８〜１３０ページを参照してください。

こちらもすぐ飛びつきたくなる方法ですが、簡易課税を選択した場合は還付を受けることができません。２年継続適用が要件なので、翌期に工場を建設するなど、多額の設備投資が発生する予定であれば、あえて簡易課税の届出は出さずに原則課税のままとしておき、2年目に多額の還付を取りに行ったほうが2年合計では有利ということもあり得ます。

消費税に関する届け出は、先を予想しながら慎重に判断するようにしましょう。

11

消費税

消費税の還付金受け取りまでの時間を短縮する

節税の効果

★☆☆☆☆

消費税では、その事業年度の基準期間（基本的に前々事業年度）における課税売上高が1000万円以下で、かつ、特定期間（基本的に前事業年度の上半期6カ月間）における課税売上高または給与等支払額のいずれかが1000万円以下である場合には、納税義務が免除されます。

これに該当して、免税事業者になることがわかっている場合で、翌期に建物の建設のような巨額の設備投資を予定しており、多額の還付が発生することが見込まれるとき、課税事業者選択届出書をその事業年度開始日の前日までに提出しておけば還付を受けられるというお話をしました。

還付を受けるまで1年以上かかることもある

しかし、還付を受けられるのは、その事業年度終了の日から2カ月以降先になるので、その間の資金繰りに悪影響を及ぼしかねません。そこで検討したいのが、**課税期間の短縮**です。本来であれば課税期間＝事業年度なので、事業年度が1年であれば課税期間も1年となりますが、課税期間を短縮することで、早く還付を受けることができるので、その分だけ資金繰りがよくなることになります。検討してみる価値はあるでしょう。

なお、課税期間の短縮は、「**消費税課税期間特例選択・変更届出書**」をその適用を受けようとする事業年度開始日の前日まで（新設法人の場合には、事業を開始した日の属する事業年度中）に所轄税務署長に提出することで、その適用を受けることができます。

この届出書を提出すると、課税期間を3カ月または1カ月に短縮することができるので、会社の実情に合わせて3カ月か1カ月かを選択してください。輸出企業など、ほぼ毎回還付が見込まれる場合は1カ月、そうでない場合は3カ月が無難かと思います。

なお、課税期間を短縮した場合には、課税事業者選択届出と同じく、2年間の継続適用となります。短縮してから2年間は、1カ月ないしは3カ月で消費税の確定申告をしなければならなくなるので、注意してください。

目先の還付金を早く受け取ることだけに注目してしまうと、その後苦労することになるかもしれません。1カ月ないしは3カ月で確定申告をするのは結構大変なので、設備投資が連続しているような場合に利用するのがよいでしょう。

12

消費税

課税売上割合を95％以上にして消費税を控除

節税の効果 ★★★★☆

消費税の計算方式は、売上などに係る受け取った消費税から、仕入れや経費などに係る支払った消費税を差し引いて納税する金額を決定します。

ただし、残念ながら、支払った消費税の全額を無条件に差し引くことができるというわけではありません。**当期の課税売上が5億円以下、かつ、課税売上割合が95％以上の場合に、全額控除が可能**となり、そうでない場合は、一定の金額は控除することができません。

課税売上割合＝総売上に対する課税売上の割合

それでは、この厄介な課税売上割合とは何でしょうか。簡単にいうと、総売上に対する課税売上の割合で、図のような算式で算出します。

分母の総売上高は、「**課税売上＋（輸出）免税売上＋非課税売上**」の**合計**となり、分子の課税売上高は、「**課税売上＋（輸出）免税売上**」**の合計**となります。「（輸出）免税売上」

課税売上割合を求める計算式

課税売上割合 ＝ 課税期間中の課税売上高（税抜き）「課税売上」＋「（輸出）免税売上」の合計 ／ 課税期間中の総売上高（税抜き）「課税売上」＋「（輸出）免税売上」＋「非課税売上」の合計

は、輸出売上と考えて問題ありません。また、非課税売上とは、課税の対象としてなじまないものや社会政策的配慮などから、課税しない取引として限定して定められているもので、土地の売却や預金利息、有価証券・金銭債権の譲渡などが該当します。なお、有価証券・金銭債権の譲渡は、課税売上割合の計算上は、その譲渡対価の額の５％に相当する金額が非課税売上として計算されます。

課税売上割合１％の違いで納税額に30万円の差!?

仮に、受け取った消費税が８００万円、支払った消費税が５００万円であったとして、課税売上割合が95％ちょうどであった場合には、支払った消費税を全額控除できるので、納税額は、「８００万円－５００万円＝３００万円」となります。

一方、課税売上割合が94％だったとすると、支払った消費税は全額控除とはいかず、「５００万円×94％＝４７０万円」が控除対象となります（一括比例配分方式により計算した場合）。その

課税売上割合94%と95%の場合の納税額の差

受け取った消費税	支払った消費税
800万円	500万円

●「課税売上割合95%」の場合

➡支払った消費税を全額控除できる

納税額　**800万円－500万円＝300万円**

●「課税売上割合94%」の場合

➡支払った消費税は全額控除にならない

控除対象　**500万円×94%＝470万円**

納税額　**800万円－470万円＝330万円**

納税額に30万円の差

結果、「800万円－470万円＝330万円」の納税となり、課税売上割合が1％違うだけで、30万円も納税額が増えてしまいます。

もしも課税売上割合が95％に近いのであれば、不要なパソコンや備品等を売却するなどして課税売上を増やし、**課税売上割合を95％以上に引き上げる**ことで、支払った消費税全額を控除することができるので、検討してみるとよいでしょう。

13 消費税

課税売上割合95%未満の場合消費税の一部を控除

節税の効果 ★★★☆☆

前頁において、課税売上が5億円以下で課税売上割合が95%以上の場合、仮受消費税から仮払消費税を全額控除することができるという話を紹介しました。では、そもそも課税売上が5億円を超えている場合や、課税売上割合が95%に満たない場合には、控除できる仮払消費税をどのように計算したらよいのでしょうか。

仮払消費税のうち、課税売上割合に対応する部分のみを控除することができるのですが、その際の計算方法に、「**個別対応方式**」と「**一括比例配分方式**」の2種類があります。有利なほうを選択できますが、一括比例配分方式を選択すると、2年間継続適用しなければなりません。

個別対応方式

仮払消費税を、①課税売上に対応する部分、②課税売上・非課税売上に共通する部分、

③非課税売上に対応する部分に区分します。①の仮払消費税は全額控除することができ、②の仮払消費税は、課税売上割合を乗じて計算した部分のみ控除することができます。

一括比例配分方式

仮払消費税を区分せずに、その全額に課税売上割合を乗じて計算した金額を控除します。では、具体的に、課税売上3000万円、非課税売上1000万円、仮払消費税200万円（課税売上対応150万円、共通対応40万円、非課税売上対応10万円）の会社で考えてみましょう。個別対応方式で計算すると、「150万円＋40万円×3000万円÷4000万円＝180万円」が控除対象となります。一方の一括比例配分方式では、「200万円×3000万円÷4000万円＝150万円」となります。計算の方法の違いだけで、30万円もの差が出ています。

個別対応方式を選択した場合、仮払消費税を3つに区分する必要があるため、一括比例配分方式よりも手間がかかります。しかし、いつでも有利な選択ができるように、区分しておくことをおすすめします。

14
消費税

建設仮勘定で消費税を先取りする

節税の効果
★★☆☆☆

建設仮勘定とは、建物を建設する場合や、自社用の機械装置やソフトウェアなどを開発する場合に、それらが完成する前の支出について一時的に計上しておく仮の勘定科目です。いったん、建設仮勘定に計上しておき、事業に利用するタイミングで、建設仮勘定から建物や機械装置、ソフトウェアなどの勘定科目に振り替えます。

では、この建設仮勘定にかかる仮払消費税は、どのタイミングで認識すべきなのでしょうか。

①支出したとき

完成部分について代金を支払ったときに仮払消費税を認識します。建設仮勘定を計上する度に、仮払消費税を認識しますので、次に紹介する②の方法よりも認識のタイミングが早くなります。建設仮勘定の金額は、税抜金額で計上していきます。

②事業に利用したとき

建設仮勘定を計上するタイミングでは、仮払消費税を認識しません。その資産を事業に利用するときに、建設仮勘定を固定資産の勘定科目に振り替え、同時に仮払消費税を認識します。各事業年度で計上する建設仮勘定の金額は、税込金額になります。

このように、建設仮勘定に係る仮払消費税を認識するタイミングには2種類あります。たとえば、次頁の図のような「税込220万円の建物を建設するケース」で考えてみましょう。工事が完成した部分について、1年目に110万円、2年目に110万円を支払い、3年目から事業に利用しました。

①の方法では、1年目と2年目で10万円ずつ仮払消費税を認識しますが、②では3年目に20万円をまとめて認識します。

どちらのタイミングで仮払消費税を認識しても、3年合計でみると結果は同じです。しかし、仮払消費税を早く認識しておいたほうが、消費税の負担も早めに軽くなるので、お得といえます。建設仮勘定を計上するときは、仮払消費税の認識タイミングを検討するとよいでしょう。

建設仮勘定の仕訳

税込220万円の建物を建設し、完成部分について1年目と2年目で110万円ずつ支払い、3年目から事業に利用した

①の方法

借方	貸方
建設仮勘定 100万円 仮払消費税 10万円	現金 110万円

借方	貸方
建設仮勘定 100万円 仮払消費税 10万円	現金 110万円

借方	貸方
建物 200万円	建設仮勘定 200万円

②の方法

借方	貸方
建設仮勘定 110万円	現金 110万円

借方	貸方
建設仮勘定 110万円	現金 110万円

借方	貸方
建物 200万円 仮払消費税 20万円	建設仮勘定 220万円

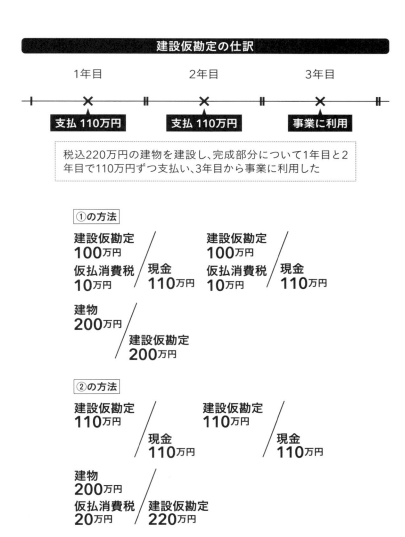

15
損金処理

5000円以下交際費を活用しよう！

節税の効果
★★★★☆

資本金の金額によって交際費の扱いが異なる

交際費は、会社の資本金によって損金となる金額が異なります。資本金の金額は「1億円以下」、「1億円超、100億円以下」、「100億円超」の区分に分けられているので、それぞれ説明していきます。

①資本金が1億円以下の場合

損金となる金額は、次のいずれか多いほうの金額となります。

・交際費等のうち、飲食その他これに類する行為のために要する費用の50%相当額
・交際費等の額のうち、年間800万円までの金額

したがって、資本金1億円以下の場合は、少なくとも年間800万円までは損金にできることになります。

②資本金が1億円超、100億円以下の場合

交際費等のうち、飲食その他これに類する行為のために要する費用の50％相当額が損金となります。ここでの「費用」とは、もっぱらその法人の役員もしくは従業員、またはこれらの親族に対する接待等のために支出するものは除かれます。つまり、社外の方との飲食代に限るということです。

③資本金が100億円超の場合

交際費は一切損金になりません。

5000円以下交際費は無条件で損金になる

なお、いずれの場合も、「5000円以下交際費」は含まれません。いい換えると、**5000円以下交際費に該当すると無条件に損金となる**のです。

5000円以下交際費とは、外部との飲食代のうち、その支出額を飲食等に参加した人数で割って計算した金額が5000円以下である場合の交際費をいいます。

5000円の判定にあたっての消費税の取り扱いについては、その法人の適用している消費税等の経理処理（税抜経理方式または税込経理方式）によって計算した金額によって異なるので、注意をしましょう。

16
損金処理

5000円以下交際費を区分して損金不算入減

節税の効果
★★★★☆

5000円以下交際費として認められるには、次の事項を記載した書類を保存している必要があります。

5000円以下交際費の適用に必要な書類

①飲食等の年月日

②飲食等に参加した得意先、仕入先その他事業に関係のある者等の氏名または名称およびその関係

③飲食等に参加した者の数

④その費用の金額並びに飲食店等の名称および所在地

店舗を有しないことその他の理由によりその名称またはその所在地が明らかでない場合は、領収書等に記載された支払先の氏名もしくは名称、住所もしくは居所または本店もしくは主たる事務所の所在地が記載事項となります。

⑤その他参考となるべき事項

これらは、1次会と2次会を別のお店で行うなど、それぞれの行為が単独で行われていると認められるときは、それぞれのお店での飲食費ごとに1人当たり5000円以下であるかどうかを判定します。つまり、**それぞれのお店ごとに書類を保存する必要がある**ということです。

なお、記載にあたっては、原則として、相手方の名称や氏名のすべてが必要となりますが、相手方の氏名について、その一部が不明の場合や多数参加したような場合には、その参加者が真正である限りにおいて、「○○会社・□□部、△△◇◇（氏名）部長ほか10名、卸売先」という表示であっても問題ありません。

また、通常の経理処理等にあたって、把握していると思われる自己の役員や従業員等の氏名等までは記載しなくてもよいこととなっています。ただし、当然ですが単価を下げるために**人数を水増しする行為は厳禁**です。

手間はかかりますが、5000円以下交際費を区分することで、損金不算入となる金額を減らすことができるので節税につながります。注力していきましょう。

コラム

合同会社の設立を検討しよう！

合同会社とは、あまり聞きなれない方もいるかもしれませんが、会社法で認められている会社形態のひとつで、税務上も株式会社と同様に、通常の法人として取り扱われます。

ただし、株式会社でいうところの株主を耳慣れない「社員」と呼んだりすることを含め、株式会社に比べると認知度が低く、信用力という意味においては株式会社には及びません。なので、大々的にビジネスを行うような場合には、あまり向いていないかもしれません（グーグルなどの大会社も合同会社なので一概には言えませんが）。

ただし、設立コストを考えた場合、合同会社のほうが有利です。株式会社を設立する場合は、登録免許税15万円に定款認証料５万円の計20万円程度の費用が発生するのに対し、合同会社の場合は、登録免許税６万円のみ（定款認証不要）で設立可能となります。

また、株式会社では決算公告が義務付けられ、官報等へ公告する必要があるのに対して、合同会社はその必要がありません。役員の任期についても、株式会社では任期が切れる都度、重任登記を行う必要がありますが、合同会社では任期がないため重任登記は必要ありません。このように、合同会社は株式会社に比べ、手間やコストを抑えることができるというメリットがあります。

よって、法人成り（Ｐ184 〜 185参照）や会社を複数設立する（Ｐ120 〜 122参照）ような場合で、対外的な取引をあまり行わないようなプライベートカンパニーを設立するようなケースであれば、初期費用の少ない合同会社の設立を検討してもよいでしょう。

5

こんな
節税方法もある

01
相続税

目先の税金だけでなく相続税についても考える

節税の効果
★★★☆☆

会社にお金を残したいという気持ちは多くの経営者の願いでしょう。では、どうすれば会社にお金を多く残すことができるのでしょうか。一言でいってしまうと、売上を増やして経費を減らし、利益を最大化することです。利益が多ければ多いほど会社にお金を多く残すことができるのです。

そうすると税金も高くなってしまうと思うでしょうが、税金は利益の範囲内でしかかからないので、下手な節税策を施すよりも利益を最大化してそれに対する税金を支払ったほうが会社に残るお金は多くなります。

役員報酬は税率35%に収まる金額にする

また、オーナー企業の場合は役員報酬をどうするのかという問題があります。会社に残るお金とオーナー個人に残るお金の合計額を最大化させたい場合は、会社に係る法人税と個人に係る所得税を天秤にかけます。法人税等の最高税率は約35％、個人の最高税率は55％（共に住民税を含む）なので、役員報酬は税率が35％以内に収まる程度の金額とする必要があります。また、社会保険に加入している場合は、これに社会保険料率も加味する必要があるので、役員報酬はかなり少なくしないといけないことになります。ひとつの指標として頭の片隅に置いておいたほうがいいでしょう。

もうひとつ忘れてはいけない税金があります。それが相続税です。非上場会社の株式を評価する場合いくつか評価方法がありますが、そのひとつに「純資産価額方式」というものがあります。これは、会社に残っている利益をベースに評価する方法であり、**会社にお金をたくさん残しているような場合は評価額が高くなってしまいます**。

しかも、株式という資産は下手に分散させることもできず、相続財産としては使い勝手が悪いものです。それを加味すると、ただ会社にお金を残すという方法は考えものです。であれば、**役員報酬を増やして個人のお金を増やし、そこから不動産投資等をして相続財産を減らしたほうが全体の相続税額が少なくなる**可能性が高くなります。

ついつい目先の法人税・所得税だけを見てしまいがちですが、その結果、相続税が多額になるのであれば、一族レベルで考えると損になります。個人で考えるのには限界があるので、ある程度の規模になったら専門家に相談することをおすすめします。

02
税制の恩恵

法人成りで所得を分散する

節税の効果
★★★★☆

「法人成り」とは、個人事業主が法人になることをいいます。「法人成り」をするメリットとしては大きく次の２つが挙げられます。

法人成りの2つのメリット

ひとつは**所得を分散することで、課される所得税率を引き下げる**ことにあります。すなわち、個人事業主の場合は、儲けすべてに所得税が課されますが、法人にして役員報酬をもらうようにすると、法人へストックしておく分には法人税が課され、役員報酬としてもらう分には所得税が課されることになります。所得税の税率は、５％〜45％までの７段階あり、所得が増えれば増えるほど税率は高くなります（これに住民税10％が加わります）が、法人税の税率は15％〜23・２％です（一定の中小法人で年間所得８００万円までは軽減税率が適用されます）。したがって、「法人成り」を行って所得を分散することができれば、適用される所得税の税率を引き下げることができるのです。

2つめのメリットは、**役員報酬について給与所得控除が適用される**ことです。給与所得控除とは、給与等の収入金額に応じて自動的に一定額が控除される制度のことをいいます。個人事業主の場合は、売上から経費を差し引いた儲けについて所得税が課されますが、この儲け分を給与として受け取ると、給与所得控除を差し引くことができます。

たとえば、個人事業主で2000万円の課税所得が出た場合の税金は、約800万円となります。しかし、法人の場合は役員報酬と法人の所得とを分けることができるので、役員報酬を1200万円、法人へのストック分を800万円とした場合、所得税は約320万円、法人税は約180万円となり、所得税と法人税を合わせた税額は約500万円となります（税額には住民税と事業税を含みます）。

税率差はもちろん、最大で195万円ある給与所得控除をフルに使うことで、大きな節税効果を生むことができます。ただし、役員報酬の設定には一定の注意点があるので、P100〜101も確認してください。

また、売上から源泉徴収されてしまうような業種（執筆、デザイン、講演など）で、売上代金が満額入らず資金繰りが厳しいときは、「法人成り」をすることで源泉徴収されず、資金繰りが良化する効果もあるので該当する方は検討してみてください。

03

益金

益金不算入が可能な株式等の受取配当金

節税の効果

★★★★☆

株式等を保有している場合、配当金を受け取ることがありますが、これは原則として受け取る法人の益金となります。しかし、そもそも配当金とは、法人税等課税後の利益剰余金を株主へ還元するものなので、受け取る法人側でも益金として再度課税の対象とすると、二重課税となってしまいます。その対策として、配当金の二重課税を排除するために、株式等の区分に応じて益金としなくてよい金額が定められています。

株式等の４区分

益金としなくてよい金額は、次の４つの株式等の区分に応じて異なります。

①完全子法人株式等

配当等の計算期間の初日から末日までの間、１００％のグループ関係があるほかの内国法人の株式等をいいます。受取配当金の全額が益金不算入です。

株式等の区分と益金に算入しなくてよい割合

区分	持ち株割合	益金不算入額	負債利子控除
完全子法人株式等	100%	全額	なし
関連法人株式等	1／3超	全額	あり
その他の株式等	5%超、1／3以下	50%	なし
非支配目的株式等	5%以下	20%	なし

②関連法人株式等

配当等の基準日以前6カ月間、発行済株式等（自己株式等を除く）の1／3超を継続して保有しているほかの内国法人の株式等をいいます。受取配当金の全額が益金不算入です。また、負債利子の支払いがある場合には、そのうち関連法人株式等の帳簿価額に相当する部分を受取配当金の額から控除します。

③その他の株式等

①②および④のいずれにも該当しない株式等です。受取配当金の50％が益金不算入です。

④非支配目的株式等

配当等の支払いに係る基準日において、発行済株式等（自己株式等を除く）の5％以下を保有しているほかの内国法人の株式等をいいます。受取配当金の20％が益金不算入です。

04

決算

資金繰りが厳しいときは「仮決算」を検討しよう！

節税の効果

★★☆☆☆

前期の法人税の年税額が20万円（前期が12カ月の場合）を超える場合、中間申告が必要となります。中間申告は、当期の開始日から6カ月を経過した日から2カ月以内に行う必要があります。「3月決算であれば11月末」のようになります。

中間申告の方法は2種類ある

この中間申告ですが、「予定申告」と「仮決算」の2種類の方法があります。

予定申告とは、前期の実績をもとに計算する方法で、前期の法人税の年税額を前期の事業年度の月数で割って6を乗じて計算します。具体的には、前期の事業年度が12カ月、年税額が30万円の場合、納税額は、「30万円÷12×6＝15万円」となります。

これに対して**仮決算とは、当期開始日からの6カ月間を1事業年度とみなして、通常の決算と同様の決算を行い、税額を計算する方法**です。ただし、仮決算の結果、予定申告の金額を超える場合には、予定申告による申告・納付を行うことになります。

前期にたまたま利益が出過ぎたような場合、当期の予定申告による納税額が多額に発生します。資金繰りが厳しい場合には、仮決算を検討してみるとよいでしょう。なお、予定申告は前期の税額から簡単に計算できますが、仮決算は通常の決算と同様の処理を行うことになるので、早めに準備しておく必要があります。また、中間申告書の提出がない場合は、予定申告があったものとみなされるので、注意してください。

地方税・消費税にも中間申告がある

中間申告は、法人税に限らず地方税、消費税にもあります。地方税（住民税や事業税）は、法人税の中間申告に連動します。

消費税の場合は、前期の年税額が48万円を超える場合に中間申告をする必要があります。48万円という金額は、国税部分のみの金額となり、地方税を含めると約60万円以上になります。

なお、前期の国税分が48万円～400万円の場合は年1回、400万円～4800万円の場合は年3回、4800万円を超えた場合は年11回の中間申告が必要になります。法人税同様、予定申告と仮決算を選べるので、資金繰りの状況を見て選択するとよいでしょう。

05

決算

法人税の申告期限は延長することができる

節税の効果

★★☆☆☆

通常、法人税の申告書の提出期限は、事業年度終了の日の翌日から2カ月以内となっています。たとえば、3月決算の会社の場合は5月末が申告期限となります。

ただし、定款の定め等で、**毎期の事業年度終了の日の翌日から2カ月以内に定時総会が招集されない常況にあると認められる場合には、確定申告書の提出期限を1カ月間延長することができる**ことになっています。

この延長申請の際には、定時総会が事業年度終了の日の翌日から3カ月以内に開催されることを証明するため定款を添付することになります。よって、定款にその旨の文言が織り込まれているか確認する必要があります。

株式会社の場合は、「株主総会」の「招集」の条項に「事業年度終了の日の翌日から3カ月以内に定時株主総会が召集される」旨を記載するようにします。

合同会社の場合は、株式会社のように定時総会を開催する文言が入っていないことが多いので、設立時に「計算」の章に「決算確定」の条項として「事業年度終了の日の翌日から3カ月以内に決算を確定する」といった文言を入れるようにしましょう。

申告期限の延長申請書は、所轄の税務署、都道府県税事務所および市区町村役場に、その適用を受けようとする事業年度終了の日までに提出する必要があります。

延長申請でペナルティの支払いを防ぐ

申告期限の延長をしていない場合は、事業年度終了の日の翌日から2カ月以内に厳密な税額計算を終え、納税を済ます必要があります。もし申告書の提出が遅れると、無申告加算税と延滞税（いずれも損金不算入）が発生します。これが、申告期限の延長をしている場合は申告書の提出が2カ月を過ぎた場合であっても、**3カ月以内に申告・納付をすれば無申告加算税および延滞税は課されず、延長期間部分について利子税（損金算入）が課されるのみ**となります。

申告期限の延長申請の有無で、ちょっと遅れた場合の取り扱いが大きく異なるので、無駄なペナルティの支払いを防ぐという意味でも提出しておくといいでしょう。

なお、消費税申告に関しても、延長制度が新設されたので、法人税などの延長と合わせて提出するようにしましょう。

06
消費税

消費税の申告期限は延長することができる

節税の効果 ★★☆☆☆

消費税だけを先に納税する必要がなくなった

消費税の申告書の提出期限は、法人税と同様に、事業年度終了の日の翌日から2カ月以内と決められています。しかし、**法人税の申告期限延長の適用を受けている場合、消費税についても申告期限延長の適用を受けることができます。**

これまでは消費税の申告期限延長の制度がありませんでした。そのため、法人税の提出期限の延長をしている会社は、事業年度から2カ月以内に消費税のみ確定申告と納税を済ませ、翌月に法人税と地方税の確定申告と納税をする、という二段階方式で作業を行っていました。また、法人税と消費税の申告数値は、決算数値から計算するので、法人税の確定申告作業の過程で決算数値が変わると消費税の申告内容にも影響し、消費税の修正申告や更正の請求をする必要がありました。

これが、2020年度の税制改正により、消費税の申告期限も延長の対象になったため、消費税についても1カ月の延長適用を受けることで、法人税、消費税、地方税の確定申告書を同時に提出できるようになりました。

申告期限延長届出書の提出が必要

消費税の延長の適用を受けるためには、適用を受けようとする事業年度終了の日までに「消費税申告期限延長届出書」を所轄の税務署へ提出する必要があります。申請書は国税庁のHPからダウンロード可能です。ただし、この届出書を提出できるのは、あくまでも法人税の延長の申請書を提出している会社に限られます。

法人税の延長を受けているなら消費税の延長も

消費税の申告期限を延長した場合の延滞税や利子税の取り扱いは、法人税と同様です。法人税の延長の適用を受けているのであれば、消費税も同じ時期に申告できるよう延長の適用を受けておくと、決算や申告などにまつわる作業の軽減にもつながるでしょう。

07
消費税

決算日を変更して期限後申請を防ぐ

節税の効果
★★★★☆

新規に設立した会社の場合、多くの会社が設立から1年後までを第1期としています。これは、「消費税の免税期間を長くする」という意味においては、節税効果が高い方法です。ただし、その結果、決算時期が会社の繁忙期と重なってしまうと、次のようなデメリットが生じます。

①忙しくて重要な情報を税理士に伝えるのを忘れたり遅れたりして、節税が可能となるような税務上の届出書を提出しなかった。もしくは、期限までに提出できなかった

②あとから領収書が出てきたが、申告期限までの時間がなくて入力できなかった

③税理士からの質問に答える時間がなかったため、決算が固まらずに申告書の提出が間に合わず、納付が期限後となってしまった

このようなことは、社長がひとりで何役もこなすような小規模な会社ではよくあることです。その結果、本来追加計上できた経費を入れられず、余分な納税が発生したり、期限

後申告となり加算税等のペナルティや延滞税を支払うことになるなど、時間があれば支払わなくて済んだものを支払う羽目になってしまいます。期限後申告が続いて青色申告が取り消しとなれば、過年度の欠損金が使用できなくなるなどの多大な不利益を被ることになります。そのため、**決算時期を閑散期に変更すると、こうしたリスクを避けることができるでしょう**。余裕をもって申告ができることはもちろん、決算前に何か対策はないか税理士と検討することも可能になります。

申告忘れ・遅れを防ぐほかにも利点がある

また、先述した失点を防ぐ意味での決算期変更以外にも利点があります。たとえば、期中は赤字続きで当期は欠損とふんでいたが、最終月に想定していなかった突発的な多額の利益が計上されることになった場合（ビッグプロジェクトの受注や土地の売却など）、最終月の前月を事業年度終了の日とする決算期変更を行うことで、当期の納税を抑えることができます。

多額の利益については翌期に織り込まれるので、翌期の申告までの1年間で節税策をゆっくり検討すればよいということになります。

自社の状況から、何月決算にするのがいいか、税理士と検討してみるといいでしょう。

08

決算

倒産防止共済に加入して連鎖倒産などを防ぐ

節税の効果

★★★★☆

中小企業倒産防止共済制度とは、正式名称を経営セーフティ共済といい、**取引先事業者が倒産した際に、中小企業が連鎖倒産や経営難に陥ることを防ぐための制度**です。

倒産防止共済に入るメリットは次の4つです。

①無担保・無保証人で、掛金の10倍まで借入可能

共済金の借入は、無担保・無保証人で受けられます。共済金貸付額の上限は「回収困難となった売掛金債権等の額」か「納付された掛金総額の10倍（最高8000万円）」の、いずれか少ない金額となります。

②取引先が倒産後、すぐに借入できる

取引先の事業者が倒産し、売掛金などの回収が困難になったときは、その事業者との取引の確認が済み次第、すぐに借り入れることができます。

③掛金の税制優遇で高い節税効果

掛金月額は５０００円〜20万円まで自由に選べ、増額・減額もできます。また確定申告の際には、掛金を損金に算入できるので、節税効果があります。

④解約手当金が受け取れる

共済契約を解約した場合は、解約手当金を受け取れます。自己都合の解約であっても、掛金を12カ月以上納めていれば掛金総額の８割以上が戻り、40カ月以上納めていれば、掛金全額が戻ります（12カ月未満は掛け捨てとなるので注意が必要です）。

税負担は変わらないが……

40カ月以上の納付で１００％戻るということは、掛け金が先に損金として計上されるということです。毎期の納税額が少なくなりますが、解約手当金の入金時に一気に課税されるため、税負担という意味ではトータル的には変わりません。

しかし、裏を返せば、１円のキャッシュアウトもなく売掛先倒産時に借入ができるという保証がされていることになります。保険料ゼロ円で一定の保証を受けることができると考えると、非常にお得な制度といえます。

なお、加入資格は、継続して1年以上事業を行っている中小企業者で、一定の要件に該当する場合に加入できることになります。

会社または個人事業者の場合の「経営セーフティ共済」加入資格

次表の各業種において、「資本金の額または出資の総額」、「常時使用する従業員数」のいずれかに該当する会社または個人の事業者は、経営セーフティ共済に加入することができる

業種	資本金の額または出資の総額	常時使用する従業員数
製造業、建設業、運輸業 その他の業種	3億円以下	300人以下
卸売業	1億円以下	100人以下
サービス業	5000万円以下	100人以下
小売業	5000万円以下	50人以下
ゴム製品製造業（自動車または航空機用タイヤおよびチューブ製造業ならびに工業用ベルト製造業を除く）	3億円以下	900人以下
ソフトウェア業 または情報処理サービス業	3億円以下	300人以下
旅館業	5000万円以下	200人以下

※上記以外に、一定の組合も加入可能　　出所：中小機構HP「経営セーフティ共済」より編集部作成

09

損金処理

役員給与を別途支払いそれでも損金算入できる

節税の効果
★★★☆☆

役員給与に関しては、基本的に毎月一定額を支給する定期同額給与であることが求められます（P100～101参照）。定期的に同額支給する場合は損金に算入できる制度がありますが、違う時期に支給した場合は損金不算入となってしまいます。

しかし、次のような理由から所定の時期に別途お金が欲しいケースもあるでしょう。

・住宅ローンでボーナス払いを活用しているため、ある一定の月だけお金が必要になる

・盆暮れの帰省時には親戚周りの付き合いでお金が必要になる

このような場合に活用したいのが「事前確定届出給与」制度です。

「事前確定届出給与」制度は、**あらかじめ支給時期と支給金額を定めた届出書を所轄の税務署へ提出しておけば、定期同額となっていなくても、損金として認めてくれる制度**です。

なお、「あらかじめ届出書を提出する」と記載しましたが、提出期限は、次のうちいず

れか早い日になるので、注意してください。

①株主総会等の決議により、その支給時期と支給金額の定めをした場合には、その株主総会等による決議をした日（株主総会の決議をした日がその職務の執行を開始する日の後である場合にあっては、当該職務を開始する日）から1カ月を経過する日

②その事業年度開始の日から4カ月を経過する日

たとえば、3月決算の法人で、株主総会の日が6月25日であったとすると、6月25日から1カ月後の7月25日と、事業年度開始の日である4月1日から4カ月経過する日である7月31日のうち、早いほうの7月25日が提出期限となります。なお、新設法人の場合は、その設立の日から2カ月を経過する日までとなります。

非常勤役員の場合はケースごとに取り扱いが異なる

また、年に1回ないし2回、所定の時期に給与を支払う非常勤役員については、支払いをする会社が同族会社かどうかで取り扱いが異なります。

同族会社に該当しない法人であれば、この届出の提出がなくても、「事前確定届出給与」に該当するものとされる一方、同族会社の場合は、届出があってはじめて「事前確定届出給与」として認められることになります。

事前確定届出給与に関する届出書

事前確定届出給与に関する届出書

※整理番号	

税務署受付印

令和　年　月　日

税務署長殿

納税地	〒 電話(　　)　—
(フリガナ) 法人名等	
法人番号	
(フリガナ) 代表者氏名	
代表者住所	〒

連結子法人（届出の対象が連結子法人である場合に限り記載）		
	(フリガナ) 法人名等	
	本店又は主たる事務所の所在地	〒　(　　局　　署) 電話(　　)　—
	(フリガナ) 代表者氏名	
	代表者住所	〒

※税務署処理欄	
整理番号	
部門	
決算期	
業種番号	
整理簿	
回付先	□ 親署 ⇒ 子署 □ 子署 ⇒ 調査課

事前確定届出給与について下記のとおり届け出ます。

記

① 事前確定届出給与に係る株主総会等の決議をした日及びその決議をした機関等	(決議をした日)　令和　年　月　日 (決議をした機関等)
② 事前確定届出給与に係る職務の執行を開始する日	令和　年　月　日
③ 臨時改定事由の概要及びその臨時改定事由が生じた日	(臨時改定事由の概要) (臨時改定事由が生じた日)　令和　年　月　日
④ 事前確定届出給与等の状況	付表＿＿ (No.　　～No.　　) のとおり。
⑤ 事前確定届出給与につき定期同額給与による支給としない理由及び事前確定届出給与の支給時期を付表の支給時期とした理由	
⑥ その他参考となるべき事項	

届出期限

イ　次のうちいずれか早い日　令和　年　月　日
(ｲ)　①又は②に記載した日のうちいずれか早い日から１月を経過する日（令和　年　月　日）
(ﾛ)　会計期間４月経過日等（令和　年　月　日）
ロ　設立の日以後２月を経過する日　令和　年　月　日
ハ　臨時改定事由が生じた日から１月を経過する日　令和　年　月　日

届出期限となる日　□イ　□ロ　□ハ

税理士署名	

※税務署処理欄	部門		決算期		業種番号		番号		整理簿		備考		通信日付印	年　月　日	確認	

（規格A4）

04.03改正

出所：国税庁HP「事前確定届出給与に関する届出書」

10 印紙税

文書を紙から電子媒体にするだけで節税できる

節税の効果 ★★★★☆

印紙税は文書に対して課される税金です。印紙税の対象になるのは、印紙税法で定められた「課税文書」と呼ばれるもので、課税文書を作成すると、定められた金額の収入印紙を貼り付けて消印し、納税する必要があります。

課税文書は20項目に区分されており、そのうち以下に挙げるものが代表的なものです。

①不動産等の譲渡契約書（一号文書）
②請負契約書（二号文書）
③継続的取引の基本契約書（七号文書）
④金銭または有価証券の受取書（一七号文書）

紙でなければ課税対象にならない

さて、この印紙税ですが、実は簡単に節税する方法があります。**課税文書を紙ではなく**

PDF等の電子媒体で作成するという方法です。印紙税は文書に対して課されるので、電子媒体の場合は文書に該当せず、印紙税の課税対象にならないことになります。

また、印紙税は、課税文書原本に課されるので、コピーの場合は課税されません。通常、契約書などは売り手・買い手の両方が原本を保管するケースが多いですが、原本をひとつ作成してそれに印紙を貼り、もう1通はコピーで済ませることで、印紙税を半分にすることができます。

なお、一号文書、二号文書および七号文書などは、記載金額の多寡によって印紙税額が異なります。税抜で記載することにより金額を少なくし、その結果、印紙税が少なくなることがあるかもしれません。ただし、一号文書や二号文書で契約金額を記載しなかった場合、200円の印紙が必要となります。

記載金額が1万円未満の場合は非課税なので、金額を記載したほうが印紙税は少なかったというケースもあります。大手流通企業で数百円の請負契約書に金額を記載していなかったことにより、1通あたり200円の印紙税が課され、数千万円単位で課税された事例もあります。契約書の書き方にはくれぐれも注意してください。

11
損金処理

消耗品は在庫管理をしなくてよい！

節税の効果 ★★★

消耗品などは、原則として消費した事業年度の損金となります。つまり、封筒やコピー用紙、筆記用具などの消耗品をまとめ買いしている場合、期末に在庫の棚卸をして、未使用分を損金から除外しなければなりません。

しかし、その作業は大変な手間であり、毎期同じように購入して消費しているものを期末にカウントすることに、何のメリットもありません。

そこで、事務用消耗品、作業用消耗品、包装材料、広告宣伝用印刷物、見本品その他これらに準ずる棚卸資産は、毎期一定量を取得して経常的に消費するものに限り、**取得した事業年度の損金に算入することが認められています**。

消耗品に該当するもの

消耗品の代表的な例は、次の通りです。

①事務用消耗品
封筒、コピー用紙、筆記用具、文房具、クリップ、付箋、テープ、電池など
②作業用消耗品
軍手、ゴム手袋、タオル、潤滑油、釘、ボルト、ナット、アルコールなど
③包装材料
段ボール箱、ビニール袋、包装紙、ガムテープ、緩衝材など
④広告宣伝用印刷物
ポスター、チラシ、パンフレット、ポストカードなど
⑤見本品
消費者に配布するサンプル、試供品など

ただし、これらに該当するものであっても、金額が多額で期末の在庫数量に大きな増減があるなど、課税所得への影響が軽微でない場合には、原則通りに在庫をカウントして損金から除外する処理をしなければなりません。

在庫管理を省略することができるのは、毎期同じように購入し、同じように使っている消耗品に限ります。在庫数量に大きな変動がないか注意しましょう。

12
損金処理

貸倒損失はピンポイントでの損失計上が必要

節税の効果
★★★★☆

損失計上できる時期は限られている

売掛金や貸付金などの金銭債権が何かしらの事情で回収できず貸し倒れたときに認識される損失を「貸倒損失」といいます。この**貸倒損失を計上するためには、要件が定められています**。たとえば、「取引先の業績がよくないという噂を聞いたので損失計上した」といったように、都合よく損失計上することはできません。

また、要件を満たせばそれ以降は好きなときに損失計上できるというものでもありません。基本的には、**要件を満たした時期にピンポイントで損失計上しなければならず、その機会を逸すると否認される可能性が高まります**。税務上、貸倒損失の計上が認められるのは、次のようなケースです。

①法的な貸倒れ

・更生計画認可の決定、再生計画認可の決定、特別清算に係る協定の認可の決定などにより債権切り捨てがあった場合
・債権者集会の協議決定などで合理的な基準に基づく債権切り捨てがあった場合
・債務者の債務超過の状態が相当期間継続し、その金銭債権の弁済を受けることができない場合で、債務者に書面で債務免除をした場合

②実質的な貸倒れ

・債務者の資産状況等から見てその全額が回収できないことが明らかになった場合

③形式的な貸倒れ

・売掛債権に係る債務者との取引停止後、1年以上経過した場合
・同一地域の債務者について有する売掛債権の総額が、その取立費用に満たない場合

損失計上するタイミングを逃してしまい、不良債権のまま帳簿に残り続けている金銭債権があるケースはよくあります。これらは、今後どのタイミングで損失にしても、すでに時期が過ぎているため税務上否認される可能性があります。適切な時期に落としていれば認められていたものが、時期を誤ると認められなくなるのは、もったいない話なので、税理士と相談し、適切な時期に損失計上するようにしましょう。

13

損金処理

従業員の退職金を先に損金化する

節税の効果
★★★★★

従業員に対する退職金は、原則としてその全額が損金として認められます。ただし、損金となるのは退職金の支払時となるので、一時に多額の費用が発生してしまいます。従業員が多ければある程度は平準化されますが、従業員が少ない中小企業の場合は退職時のインパクトが大きくなってしまうというリスクがあります。そこで検討したいのが、中小企業退職金共済、いわゆる中退共です。中退共に加入した場合、その掛金は支払時の損金として認められます。つまり、退職金を毎期の費用にできるイメージです。

中退共はその名の通り中小企業の退職金制度なので、中小企業しか加入することができません。ただし、その範囲は比較的広くなっており、たとえばサービス業であれば常時使用する従業員が100人以下または資本金・出資の総額が5000万円以下であれば加入することができます。製造業や建設業の場合はこれが、300人以下または3億円以下となっており、かなり広範囲をカバーしているといえます。

また、気になる掛金ですが、月額5000円から3万円の範囲となっており、従業員ごとに任意で選択することができます。短時間労働者であっても2000円から4000円の範囲で設定することができるので、資金繰りとの兼ね合いで掛金を決めてください。

デメリットも把握して検討しよう

こう聞くと中退共はかなりお得な制度のように思われるかもしれませんが、デメリットもあります。主なものは以下の4点となります。

①全従業員を加入させる必要がある（試用期間中など一定の人を除く）
②支払った掛金は返してもらえない
③懲戒解雇であっても基本的に退職金が支払われる
④従業員の勤続期間が2年未満だと元本割れをする

最も大きなデメリットは「掛金を会社に戻してもらえない」ことです。ここが保険との最も大きな違いといえるでしょう。中退共の掛金はその全額が個人の退職金に充当されるので仕方がありません。資金繰りには十分注意して掛金を設定するようにしてください。

14
助成金

補助金・助成金がないか探してみよう！

節税の効果
★★★★★

1章で述べているように、世にいう節税はいわゆる期ズレというものが多く、実質的に得をしていない場合が多いのが現状です。

そこで、もっと直接的なお得な方法がないかというときに少し検討してほしいのが、**補助金・助成金**になります。

国や地方自治体は政策目標を達成するため、それぞれの目的・趣旨に応じたさまざまな補助金・助成金に関する施策を講じています。

これら補助金・助成金は、国が行うものもあれば地方自治体が行うものもあります。募集期間や予算が定められているものが多く、募集期間内であっても予算に達するとすぐに募集停止になってしまったりと、流動的であったりもします。よって、会社の所在地域で、今現在どのような施策が講じられているのか、アンテナを張っておく必要があります。

各省庁HPや各自治体HPで検索するか、中小企業向けの補助金・給付金などの申請や事業のサポートを目的とした国のサイトである「ミラサポplus」などを活用してもよいでしょう。サイト内の「支援制度を探す」というリンクボタンから条件を選択して検索すると、今行われている施策（補助金、助成金、融資制度など）を検索できます。

補助金・助成金はあくまでプラスα

補助金・助成金は、その内容が多岐にわたるため、サポートする専門家が税理士であったり社会保険労務士であったりとさまざまです。よって、内容に応じて各専門家に依頼することになります。その際に、各種専門家に依頼して補助金・助成金を申請すると、成功報酬が発生するケースが多いので事前に報酬体系を確認しておくとよいでしょう。

また、ごく稀に、補助金・助成金を受けないと損だといわんばかりに血眼になって探される方がいらっしゃいます。本来的には、補助金・助成金なしで会社を運営していくのが普通で、それがないと経営できないというのは問題です。

補助金・助成金は、たまたまタイミングが合って何か受けることができるものがあればラッキーくらいのプラスαで考えておくとよいでしょう。

15
節税商品

封じられた「ドローン節税」

節税の効果
★☆☆☆☆

リース用に購入した資産は一括で経費にできない

予想よりも会社の利益が上がったときに芽生える節税意欲。そこで一時注目されていたのが「ドローン節税」といわれるものです。具体的なしくみは次のとおりです。

①1台30万円未満のドローンを大量に購入し、全額を経費にする
②購入したドローンをリースにより貸し付け、中長期的に利回りを得る

もちろん、ドローンのリースによって得た利回りについては課税がされるものの、突発的な利益が生じたときにドローンの購入費用を全額経費とすることができ、課税の繰り延べが可能になる節税商品として根強い人気がありました。

少額資産の経費計上概要

概要＼特例	少額の減価償却資産の取得価額の損金算入制度	一括償却資産の損金算入制度	中小企業者等の少額減価償却資産の取得価額の損金算入の特例
損金計上額	全額	３年償却	全額
取得価格	10万円未満	20万円未満	30万円未満
年間上限額	なし	なし	300万円
主要な事業用	○	○	○
貸し付け用	×	×	×

出所：財務省「令和４年度税制改正の大綱」より編集部作成

貸し付け用に購入した資産は経費計上できなくなった

しかし、過度な節税には「規制」がつきもの。２０２２年度の税制改正では、特例の適用が認められていた30万円未満の資産のうち、貸付用で購入したものは、一括で経費に落とすことができなくなりました。

ドローン以外にも建設用足場やＬＥＤなど、多くの節税商品が規制の対象となりました。２０２２年４月１日以降に取得した資産について適用されるので、注意しましょう。

16
節税商品

コインランドリー経営で大幅に節税する

節税の効果
★★★★☆

最大3つの優遇措置を受けられる

中小企業や個人が利用できる節税方法として人気な手法のひとつに、「コインランドリー節税」があります。その名のとおり、コインランドリーを経営することによって、大幅な節税が期待できます。

コインランドリーを購入・設置した初年度に多額の経費を計上することで利益を圧縮しつつ、7年程度の期間を目安に投資を回収するという「課税の繰り延べ」がメインです。

しかし、最大で次の3つの税制優遇措置を受けることができます。

①中小企業経営強化税制による特別償却または税額控除

通常の設備の場合は、耐用年数に応じて減価償却をしなければならないので、投資初年度に一括して経費処理をすることはできませんが、当該税制の対象となるコインランドリーを取得することで、投資初年度で多額の経費処理をすることが可能となります。

②償却資産税の特例

設備投資に償却資産税はつきものですが、こちらも要件を満たすコインランドリーを取得することで、3年間は償却資産税を免税とすることができます。

③相続税の小規模宅地の特例

コインランドリーを設置した土地は、相続税法上「特定事業用宅地等」に該当します。自己所有の土地でコインランドリーを設置する場合において、一定の要件を満たすときは、その効果は相続税対策にも波及します。

もちろん、いずれの優遇措置も適用要件をクリアしなければ節税効果は生まれないため、導入の際は慎重に検討すべきですが、全ての優遇措置を受けることができる場合は魅力的な節税商品といえるでしょう。

ただし、コインランドリーを開くためには、4000万円程度の資金が必要となります。節税額は大きいですが、その分の投資額も大きく、リスクが高い節税策です。その点は十分に気をつけましょう。

17
節税商品

海外不動産は節税と投資効果が期待できる

節税の効果
★★★★☆

日本よりアメリカ不動産のほうが節税効果は大きい

P214～215で紹介した「コインランドリー節税」と同様に、節税商品として人気なのがアメリカ不動産。「海外の不動産」と聞くと抵抗がある方もいると思いますが、日本の不動産に比べて**減価償却可能な金額が大きくなるため、節税に有効です**。こちらも課税の繰り延べであることには変わりないため、突発的に多額の利益が生じたときの対策として有効な手法となります。

まず念頭に置いておきたいのが、不動産は大きく「土地」と「家屋」に分けられ、経費にできるのは家屋部分になるということ。土地については減価償却という概念がないため、1円も経費にすることはできません。

日本の不動産の場合、価格の割合が土地が70％、建物が30％程度の比率になっている物

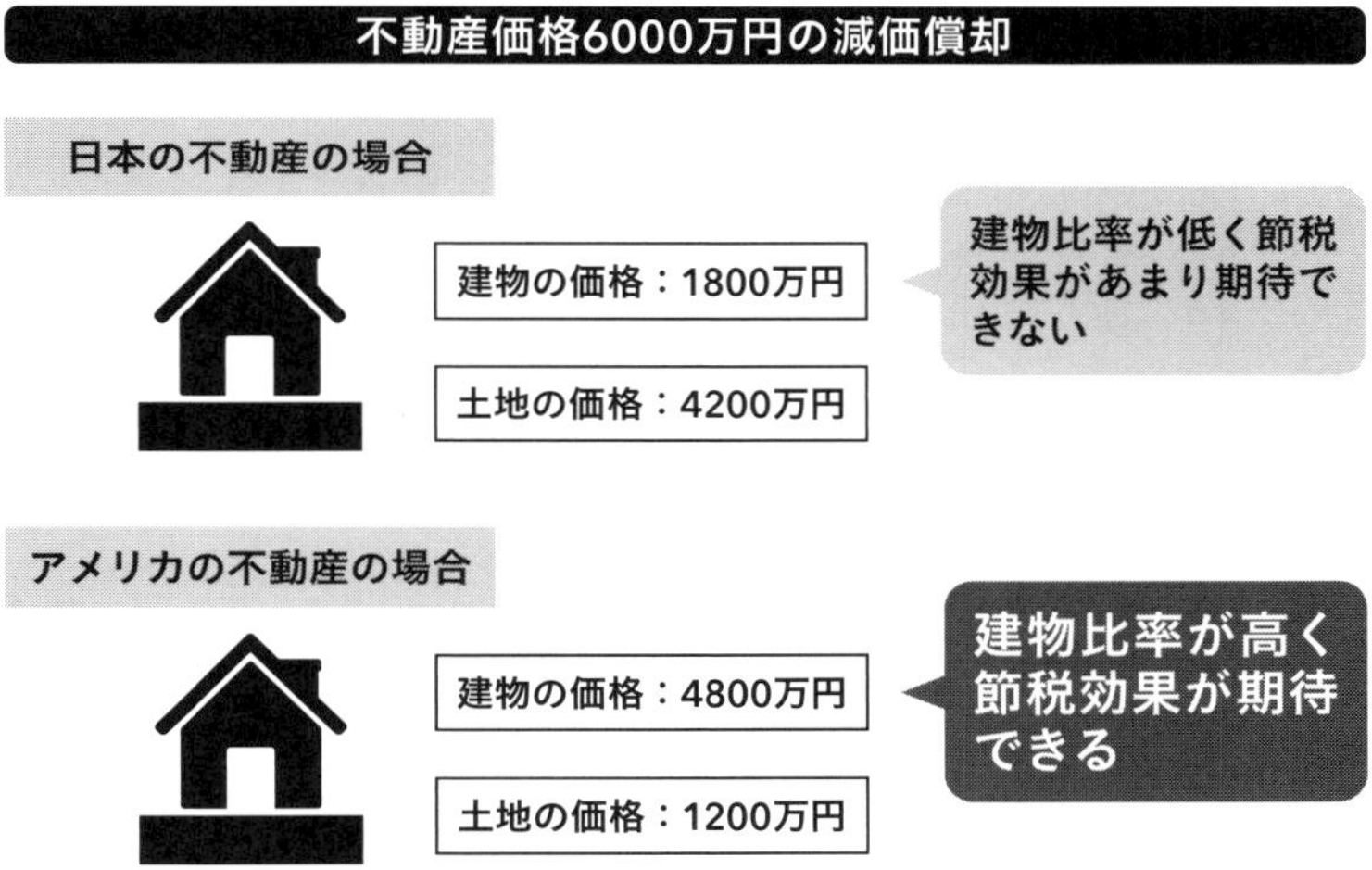

件が多いです。一方、アメリカの不動産の場合は、土地が20%、建物が80%程度の比率になっている物件が多くあります。そのため、**アメリカの不動産のほうが減価償却可能な金額が大きく、同じ価格帯の物件でも節税効果が期待できる**ということです。

さらに、築22年以上の木造建築の場合、日本の税制上においては4年間で減価償却をすることができるので、物件購入価格の80%程度を4年間で費用化することができます。

さらに、不確定要素は高いものの、賃貸住宅として運用可能なアメリカ不動産の場合、表面利回り6%程度の賃料収入を得られることもあります。日本の不動

不動産の耐用年数の計算

	木造	重量鉄骨造	RC造
新築	22年	34年	47年
中古	（法定耐用年数－築年数）＋築年数×20％※		

※耐用年数を経過している場合は、法定耐用年数×20％

産は築年数の経過とともに価格が下落する傾向がありますが、アメリカの不動産は築年数の経過を問わず、不動産価格が下落しづらい傾向があります。節税のみならず、**不動産投資としても大いに有効活用できるでしょう。**

ただし、2019年度の税制改正において、個人が海外不動産を利用した節税に規制がかけられました。現時点では法人に対してアメリカ不動産を活用した節税策に規制はかけられていないものの、P212〜213で紹介したドローン節税と同様に、節税策に規制はつきものです。今後の規制方針には十分に注意しましょう。

また、日本のローンと比較すると金利が高くなる傾向にあり、かつ、海外の不動産を管理する必要もあるため、管理会社によっては賃料が入金されないなどのトラブルも想定されます。節税メリットを優先するあまり、このような注意点をないがしろにして、思わぬ損失を被らないためにも、慎重に検討することが望ましいでしょう。

6

税務署や銀行との付き合い方

01

税務調査

最近の税務調査の傾向 実地調査は減少する！

２０１７年11月に国税庁から「平成28事務年度の法人税等の調査事績の概要」が発表されました。この発表によると、平成28事務年度において行われた実地による税務調査の件数は次のとおりとなっています。

①法人税……９万７０００件
②法人の消費税……９万３０００件
③源泉所得税……11万６０００件

次に、10年前の平成18事務年度を確認してみましょう。

①法人税……14万７０００件
②法人の消費税……13万９０００件
③源泉所得税……20万２０００件

なんと、**すべての税目で大幅に実地調査件数が減少**しています。各税目の減少割合は次の通りです。

①法人税……約34％減少
②法人の消費税……約33％減少
③源泉所得税……約42％減少

ここまで減少した理由のひとつとして、２０１１年12月に公布、２０１３年1月に施行された税務調査の手続きに係る国税通則法の改正があります。この改正により**税務署内部の審理が厳格になり、審理を通すための資料収集やその他税務署側の事務作業が増加したため、実地調査が減少した**ものと考えられています。

このような状況を踏まえ、２０１７年6月に「税務行政の将来像　～スマート化を目指して～」が国税庁から発表され、税務調査の重点課題として「国際的租税回避への対応」、「富裕層に対する適正課税の確保」、「大口・悪質事案への対応」を挙げています。

さらに、課税・徴収の効率化・高度化を図るため、①申告内容の自動チェック、②軽微な誤りのオフサイト処理（手紙、電子メールでの接触）、③調査・徴収でのＡＩ活用、を柱に挙げています。これらを踏まえると、今後は、**実地調査すべき事案はＡＩによって判定**され、それ以外の軽微な誤り等については実地調査ではない方法での接触というような、メリハリの利いた税務調査になっていくのではないでしょうか。

02
税務調査

税務調査の対策と受け方の基本

「税務調査」と聞くと何だか嫌な気持ちになるものです。追加納税となることはあっても、還付になることはまずないからです。つまり、何か取られるか、よくて現状維持ということになるので、できれば来てほしくないというのが本音かと思います。

では、税務調査がまったく存在しないとしたらどうでしょうか。世の中ズルいことがまかり通り、誰も真面目に納税しなくなってしまいます。税務調査の本来の目的は、悪質な脱税をしている法人からしっかり徴収して、真面目にやっている法人が馬鹿を見ないようにすることです。ズルいことをして周りにいいふらし得意げになっている社長がいたら、真面目に納税している社長からするとまったくもっておもしろくありません。

よって、このような悪質なことをしている法人を徹底的に取り締まることで、やはり真面目にやることが一番なんだという課税の公平を担保しようとするのが税務調査の目的ということになります。そう考えると、**「税務調査官＝悪」ではなく、むしろ世の中を正す**

正義の味方という捉え方もできるかもしれません。

税務調査のノルマは存在する？

とはいえ、税務調査官も組織の一員であり、ノルマはないと公言してはいるものの、現場サイドでは「追加納税をとってくる調査官＝不正を見逃さず発見してくるすごい調査官」と考えているフシもあるため、何でもかんでも追加納税につなげようとして、イチャモンに近い指摘をしてくる調査官がいることは事実です。また、税務調査官も人間なので、イチャモンをつけるつもりはなくても、結果的に間違った指摘をしてくることもあります。

実際に税務調査に入られたら、税務調査官の指摘が会社の計算間違いや認識違いなど真っ当な指摘であるのか、まったく見当違いな指摘であるのか、はたまた、意図的にイチャモンに近い指摘をしているのかをよく見定める必要があります。また、**税務調査はひとりで対応するのではなく、顧問税理士とタッグを組んで対処**してください。

税務調査自体は、課税の公平を担保するための大切な作業なので、どこかの法人が必ず税務調査を受けます。これは、日本国にとって必要なことでもあるので、税務調査を受ける場合は、法人の代表として恥ずかしくないような対応をしたいものです。

03

議事録

議事録の類は時系列で揃えておく

株主総会議事録、取締役会議事録、監査役会議事録、経営会議議事録、部門会議議事録など、法人にはさまざまな種類の議事録があります。

法律によって作成する義務があるものや、会社が記録を残すために任意で作成しているものなど、議事録によって重要度や役割は異なりますが、議事録を作成する主な理由は次の通りです。

①会議で決定した内容を記録するため
②会議の経緯を記録するため
③責任の所在を明らかにするため
④関係者への情報共有するため
⑤役所等での手続時に提出するため

議事録は時系列で整理しておく

議事録は、**外部の機関などから写しの提出を求められること**があります。たとえば、法務局で会社の登記事項を変更するときや、金融機関から新規の借入をするとき、税務調査のときなどです。

規模の小さな法人の場合、議事録を作成していないことも多く、提出を求められてから作成することが多いかもしれません。少し前の決定事項であればそれも可能ですが、いざ必要となったときにだいぶ前の議事録を作成しようと思っても、「いつ」「誰が」「何を」「どのように決定したか」など、あやふやな記憶を辿って作成することになってしまい、好ましくありません。また、当時の出席者の押印をもらう必要が出てくるなど、思わぬ手間が発生する可能性もあります。

特に、法律で義務付けられている議事録や、会社の運営にとって重要な事項を決定したときの会議の議事録、会社の規程（福利厚生制度など）を制定した時の**議事録などについては、その都度きちんと作成しておき**、外部から提出を求められたときに速やかに探し出せるよう、種類別に時系列で整理し、ファイリングしておくとよいでしょう。

04 税務調査

税務調査で否認されるとどうなるか?

税務調査が入り、ある経費100万円について損金性が認められず否認を受けたとしましょう。この場合、**繰越欠損金が多額にある法人と黒字法人では、次のように取り扱いが異なります**。

①繰越欠損金が多額にある法人

繰越欠損金が少なくなるだけで、追加納税や加算税等のペナルティ、延滞税は発生しません。ただし、繰越欠損金が減るため、将来的に利益が出た場合、否認を受けなかった場合に比べ早く利益が出るようになり、課税される時期が早まることになります。

②黒字法人

100万円否認されたことで、100万円に関する法人税等の本税がまず発生します。

また、この追加の本税について、過少申告加算税等のペナルティ、延滞税が追加されます。

さらに、否認を受けた内容が仮装隠蔽など悪質であった場合には重加算税が発生します。

通常の税務調査は直近3年分を調査することが多いのですが、国税通則法の条文上は5年とされています。また、否認を受けた内容について偽りその他不正の行為と認められると、最大7年前まで遡られることになります。

悪質な場合は重加算税、さらに追加納税が発生

悪質と認められる場合は、本税のほかに重加算税が課されます。また、短期間に繰り返して仮装や隠蔽が行われた場合、重加算税等の加重措置により通常の重加算税の割合にさらに10％加算されてしまいます。**繰り返し重加算税となった場合の最高税率は約50％と**なってしまうので、このようなことがないようにしたいものです。

なお、否認される項目が期ズレとなる場合は、当期で否認されたものは、翌期の損金となるので、本税だけでみると損得は発生せず、結果として、当期否認された分に関する加算税・延滞税等のペナルティを支払うということになります。しかし、当期否認され、翌期以降の損金にならないようなもの、たとえば、交際費の否認などは、本税＋加算税等のペナルティ＋延滞税を支払うことになるため、負担が重くなります。

さらに、役員給与と認定されるような否認は、法人税の負担だけでなく、役員個人の所得税について追加納税が発生するので、特に注意してください。

05
追徴課税

逃れられないペナルティ

修正申告や期限後申告などをすると、本来納めるべき税金のほかに、別途次のようなペナルティの支払いが発生します。たとえ会社に悪気がなく、税務署に事情を説明したとしても、**免除してもらえるものではありません**。場合によっては、想定を超える負担となる可能性もあります。

①無申告加算税……期限後申告の場合、本税の0～30％※

②過少申告加算税……期限内申告について、修正申告をした場合や、税務署による更正があった場合、本税の0～25％※

③不納付加算税……源泉徴収税額について、納期限後に納付をした場合、0～10％※

④重加算税……仮装・隠蔽があった場合、②と③に代えて本税の35～45％、または①に代えて40～50％

⑤延滞税……未納となっている本税に対して、年2・4～14・6％

2017年1月1日以後に法定申告期限等が到来する国税につき期限後申告をした場合で、その期限後申告の前日から起算して5年前までの間に、無申告加算税や重加算税が課されている場合は、従来の無申告加算税や重加算税の税率に、さらに10％の割合が上乗せされることになり、負担が非常に重くなっています。

地方税でも重いペナルティが課せられる

これらは、いずれも国税に関するペナルティですが、法人事業税などの地方税でも同様に、次のようなペナルティが定められています。

①**不申告加算金**……本税の0〜30％※
②**過少申告加算金**……本税の0〜15％※
③**重加算金**……本税の35〜50％
④**延滞金**……年2・4〜14・6％

ペナルティは、適切な申告と納付をしていれば、負担する必要のない税金です。もちろん、税金を喜んで払いたい人はいないと思いますが、**ペナルティのリスクを冒して税金を安くするよりも、適切な申告と納税に努める**ほうが賢明ではないでしょうか。

※一定の条件や正当な理由がある場合は、課税されないこともあります

加算税の概要

名称	課税要件	課税割合（増差本税に対する）	不適用・割合の軽減	
			要件	不適用・軽減割合
過少申告加算税	期限内申告について、修正申告・更正があった場合	10%※1	・正当な理由がある場合 ・更正を予知しない修正申告の場合※2	不適用
無申告加算税	①期限後申告・決定があった場合 ②期限後申告・決定について、修正申告・更正があった場合	15%※3	・正当な理由がある場合 ・法定申告期限から1カ月以内にされた一定の期限後申告の場合	不適用
			更正・決定を予知しない修正申告・期限後申告の場合※4	5%
不納付加算税	法定納期限後に納付・納税の告知があった場合	10%	・正当な理由がある場合 ・法定納期限から1カ月以内にされた一定の期限後の納付の場合	不適用
			納税の告知を予知しない法定納期限後の納付の場合	5%
重加算税	仮装・隠蔽があった場合	過少申告加算税・不納付加算税に代えて35%		
		無申告加算税に代えて40%		

※1 期限内申告税額と50万円のいずれか多い金額を超える部分は15%
※2 調査通知以後、更正・決定予知前にされた修正申告に基づく過少申告加算税の割合は5%（期限内申告税額と50万円のいずれか多い金額を超える部分は10%）
※3 50万円を超えた部分は20%
※4 調査通知以後、更正・決定予知前にされた期限後申告等に基づく無申告加算税の割合は10%（50万円超の部分は15%）

出所：財務省HP「加算税の概要」より編集部作成

06

電帳法

電子帳簿保存法のペナルティ強化

電子データは改ざんのリスクがある

P53～55で紹介した電子帳簿保存法の大幅な改正により要件が緩和され、デジタル化に取り組みやすくなりました。しかし、**電子データは紙資料に比べると複製や改ざんを容易にできてしまうというリスクがあるため、違反した場合の罰則が厳しく定められています。**導入する際には、罰則についても把握が必要です。

重加算税に10％加算、青色取消のリスクも

データの隠蔽や仮装された事実があった場合には、通常課される**重加算税に10％が加算**されます。さらに、**青色申告が取り消されてしまう**恐れがあり、そうなると金融機関や取引先からの信用を失うかもしれません。

いったん青色申告が取り消されると、再申請ができない期間は白色申告になりますが、税額控除や繰越欠損金の制度が使えないなどのデメリットが生じるだけでなく、**税務署から推計課税をされるリスクも高まります**。

また、青色申告の再申請の際は、初回申請時とは異なり、帳簿書類の提出を求められたり、実際の経理業務をどのように運用しているか説明を求められたりして、手続きがとても煩雑になる可能性があります。

こうした罰則は故意で隠蔽や仮装をした場合のものですが、データを保存する際にうっかり要件を満たしていなかった、ということも実務では起こり得るでしょう。そのような場合には厳しい措置を取られる可能性は低く、指導に留まるだろうと考えられます。ただし、たとえ指導で留まるとはいえ、ルールは守るべきものです。改正された電子帳簿保存法の内容を確認して、来たる税務調査に備えましょう。

「電子帳簿保存」と「スキャナ保存」については任意の導入ですが、「電子取引データ保存」については、すべての会社と個人に対して義務化されたので、２０２３年12月までの間に、電子帳簿保存法の求める要件を満たした運用ができるようにしましょう。

07
申告納税

追徴課税は損金にならない

前項で紹介したペナルティは、残念ながら、どれも**すべて法人の損金にすることはできません。**

そもそも、ペナルティを法律で定めている目的は、納税者に対して適切な申告納税を促すためです。ペナルティはそれを怠った場合の罰金という意味合いなのです。

したがって、ペナルティの支払いについては、金額の多寡にかかわらず、損金としての性質が認められていません。

適時適切な申告納税を心がける

だいぶ期間が経過してから納付した場合や、ペナルティの種類によっては、本税を大きく超える金額となってしまうこともあります。「こんなことになるんだったら、最初から適切に申告しておけばよかった！」という声をよく耳にします。

損金の額に算入されない主な租税公課

損金の額に算入されない
主な租税公課は次のとおり

❶法人税、地方法人税、都道府県民税、市町村民税の本税
❷各種加算税、各種加算金、延滞税、延滞金（地方税の納期限の延長に係る延滞金は除く）並びに過怠税
❸罰金及び科料（外国または外国の地方公共団体が課する罰金または科料に相当するものを含む）並びに過料
❹法人税額から控除する所得税、復興特別所得税、外国法人税

出所：国税庁HP「損金の額に算入される租税公課等の範囲と損金算入時期」より編集部作成

もちろん、「正しいと思って処理していたのに間違っていた」ということも多々あると思います。自信のない処理などは、事前に国税庁に質問したり、税理士などの専門家にアドバイスを求めることもできます。できる限りリスクを排除して申告しておくと、税務調査の際も安心です。

ペナルティは、法人にとってデメリット以外の何者でもありません。ペナルティの支払いが発生することのないよう、節税はリスクを抑えた範囲内で行い、日ごろから適切な帳簿付けをし、期限を守った申告納付を心がけましょう。

08 追徴課税

納得できなくても払う必要がある

自主的な修正申告なら納得がいくかもしれませんが、税務署からの指摘による追徴課税の場合、納得できないケースもあると思います。

しかし、納税については、日本国憲法第30条に、「**国民は、法律の定めるところにより、納税の義務を負ふ**」と定められているとおり、国民の義務であり、逃れることはできません。無視しようとしても、取り立てに来ますし、最悪の場合、財産の差し押さえによる強制執行になることもあります。納得がいく、いかないにかかわらず、追徴税額が決まり次第、早めに支払いましょう。

もし、金銭的に支払うことが難しい場合は、納税猶予の制度も設けられています。ただし、猶予期間も一定の延滞税がかかることを考えると、資金繰りが厳しくても、期限までに納付しておいたほうがいいでしょう。

税務署の処分に不服があるとき

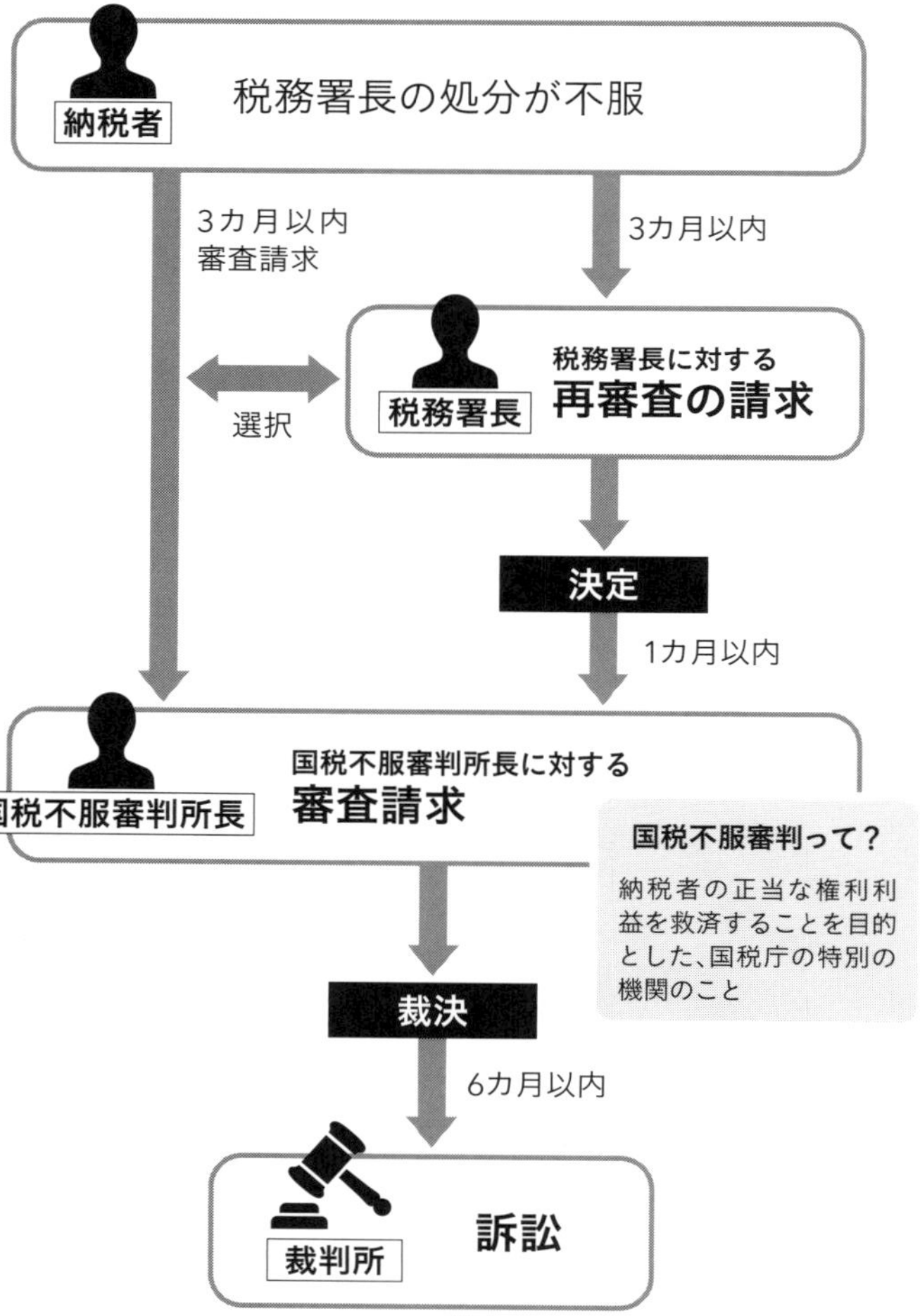

出所：国税庁HP「税務署の処分に不服があるとき」より編集部作成

どうしても納得できないとき

また、税務署の判断にどうしても納得ができない場合には、処分を行った税務署に対して処分の取り消しや変更を求めて再審査の請求をしたり、国税不服審判所に対して審査請求を行ったり、裁判所に訴訟を起こしたりすることも可能です。

国税不服審判所で主張が認められ、認容を勝ち取ったり裁判で勝訴したりすると、多く納めすぎた税金は「**還付加算金**」という利息を含めて還付となります。税額が納得いかないほど巨額な場合は、思わぬ利息収入が入るかもしれません。

ただし、税務署は徴税の専門機関であり、その処分をするために十分に証拠集めをして理論武装しているので、それに打ち勝つことは容易ではありません。また、**結論が出るまでには長い年月がかかり、大変な労力を要します**し、税理士や弁護士などの専門家に対する報酬も別途必要です。

納得できないときには徹底抗戦することも選択肢のひとつですが、それにかかる時間や労力、費用をよく考えて判断する必要があります。そこまでして争うメリットがないようであれば、早めに納税して会社の経営に注力するほうが賢明かもしれません。

09
税理士

相性のよい税理士・会計士の選び方

税理士の登録者数は、**2022年5月末時点で約8万人**も存在します。

どうやってひとりの顧問税理士を選ぶのか

このなかで、自社にとって一番相性のよい税理士を探すのは事実上不可能です。そこで、一番を探すのは無理だとしても、少なくとも悪くはない税理士を選ぶためのポイントを2点ほど挙げておきます。

①質問しやすい

感覚的な話になりますが、かなり重要です。どれだけ知識のある税理士であったとしても、何だか偉そうで聞きづらければ意味がありません。

また、質問に対して怒って答えているような方もたまにいます。

どこまで許容できるか個人差があるかと思いますが、**自分にとってコミュニケーション**

税理士登録者数

登録者数	税理士法人届出数	
	主たる事務所	従たる事務所
7万9891	4629	2492

出所：日本税理士会連合会HP「税理士登録者・税理士法人届出数（令和4年5月末日現在）」より編集部作成

を取りやすい税理士であることが何より重要なことになります。これは最初に面談した際に、何となくわかるでしょう。ここで無理をして契約してしまうと、あとで聞きたいことが聞けないなど、フラストレーションがたまってしまうことになるので妥協しないようにしましょう。

②勉強をしていそう

節税をしたいのであれば、当たり前ですが税金のことを知っている税理士でなければなりません。近年、税制はめまぐるしく改正され、少し前の制度が今は使えないということが多々おこっています。正直なところ、税理士でもついていくのに一苦労です。日々実務をこなしながら、知識をアップデートしていくのは非常に大変なことなのですが、それを怠らず**研鑽を積んでいる税理士**を選ぶようにしましょう。HPなどで、執筆、講演、ブログ、ニュースレター等の発信状況を確認してみるとよいでしょう。

知識のある税理士であり、かつ、何でも聞きやすい状況であれば、アタリの税理士なのではないでしょうか。

10 顧問料
フィーを値切ると損をする可能性もある

顧問税理士を決めたら、あとは報酬と作業してもらう内容を取り決めます。

税理士報酬は次のような観点から決定されていきます。

①帳簿の入力をクライアントがするか、税理士がするか

クライアント側で帳簿の入力を行う場合、税理士側の手間が省けるので報酬は安くなります。ただし、試算表を確認したら、現金も預金もマイナスで、結局全件確認することになってしまい、結果、**税理士側の工数が増えてしまうようなケースでは、値上げを要求される可能性**があります。税理士に確認しながら、正しい帳簿を作成しましょう。

②訪問は毎月か、隔月か、四半期か、決算時のみか

会社への訪問頻度が多ければ多いほど、往復の移動時間を含め税理士の拘束時間が長くなるため、報酬は高くなります。

③売上規模はどのくらいか

会社規模が大きいほど、税理士の負うリスクが高くなるため、報酬は高くなります。

④資本金はいくらか

③の売上規模と同様の考え方です。特に資本金が1億円を超えるような場合には、税制の取り扱いが異なるケースも増えるため、報酬は高くなります。

⑤その他特殊論点はないか

試算表の作成やチェック以外に、たとえば、源泉徴収票の作成や資金繰り表の作成などを依頼する場合は手間が増えるので、報酬は高くなります。

顧問料を節約すると損をする？

税理士も商売なので、もらっている報酬で利益を出す必要があり、報酬が安ければ安いなりの仕事をしてしまうことになりかねません。報酬が安い場合は、どうしても機械的な作業をするのみに留まってしまいます。年間10万円の顧問料を減らした結果、30万円のお得な節税情報を得られなかったという場合もあるかもしれません。

定期的に面談を受けることで、世間話の一環でお得な節税情報や、同業種の他社情報などビジネス上のヒントを得られたりしますので、**税理士報酬等のプロフェッショナルフィーは過度に値切らず適正価格を支払う**とよいでしょう。

11 銀行

銀行との付き合い方はどうするべきか

銀行は一見節税と関係ないように思われますが、深いところではまったく無関係というわけではありません。

たとえば、中小企業の機械の特別控除は1基160万円以上の機械および装置、1台120万円以上の測定工具および検査工具、合計70万円以上のソフトウェアなど、ある程度まとまった金額の資産を購入しないと適用を受けられません。

また、賃上げ促進税制も給与の支払いが増えていなければならないという要件があります（P123〜127参照）。

このように、税務上のメリットを受けるために、お金を使う必要がある場合があります。お金は車でいうガソリンのようなもので、無借金でこつこつ貯めていくと数年かかってしまうものが、**金融機関から上手に借入をすることで、1年で目標を達成できることも**あります。ただし、借入がうまくいくかどうかはわからず、不安な点もあるかと思います。

借入経験豊富な税理士に交渉してもらう

さて、その借入ですが、社長が直接金融機関と交渉するとうまくいかないケースが出てきます。単純に、借入をするという行為に対する経験が少ないため、借入をするためのポイントがズレてしまっていることから、審査に落ちてしまうケースがあるのです。

その点、税理士は多数のクライアントを抱えているので、常に融資の相談を受けています。**社長個人とは比較にならないほど経験値がある**ので、金融機関に提出する融資申込書や各種計画表の受けのよい作り方はもちろん、金融機関からの質問に対する回答についても、的確なアドバイスをすることができます。また、すでに融資を受けている場合、まだ借入が可能かなども察しがつきます。

それ以上に大きいのは、社長が借入に行くと融資担当者と初顔合わせになり、先方も大丈夫な社長かどうかを慎重に見定めようとしますが、なじみの税理士の紹介だと貸してくれるかはさておき、少なくとも無下には扱われません。税理士はほかのクライアントをもっているので、別の会社から融資の申し込みを取れるかもしれないからです。

よって、融資を受けたい場合は、顧問税理士に相談して間に入ってもらい、一言いってもらうだけでも、だいぶ可能性が広がります。

金融機関は複数行と付き合う

複数の金融機関と付き合うメリットはさまざまあります。

金融機関の支店長や融資担当者は定期的に交代になりますが、新しい担当者の場合は数カ月様子見することが多く、融資に消極的になるケースがあります。そのような場合に、担当者が変更していない他行に掛け合えば勝手知ったる仲として融通が利きやすくなります。また、複数行と付き合いがあることで金利交渉を有利に進めることもできます。

また、借入の半分くらいを返済すると、返済した分くらいは追加で貸してくれることがあります。このときにひとつの銀行のみから借入をした場合、元の融資期間が7年とすると3〜4年しないと追加で借りられません。

ですが、1年目にメガバンクや地銀、2年目に信金、3年目に政策金融公庫などと、時期をずらして複数の金融機関から借りることができれば、4年目にメガバンクから追加融資、5年目に信金から追加融資、6年目に政策金融公庫から追加融資といったように、毎期の資金繰りが非常に楽になっていくので、税理士とうまく連携し、資金計画を練っていきましょう。

コラム

「個人成り」で社会保険の負担をカット

「個人成り」という言葉をご存知でしょうか？
「個人成り」は「法人成り」（P184 ～ 185参照）の逆で、法人が個人事業主に戻ることを指します。

なぜ、せっかく法人になったものを個人事業主に戻すのかというと、社会保険の加入義務から外れることができるためです。法人の場合は、人数に関係なく社会保険への加入が義務づけられています。一方、個人事業主の場合は、業種によりますが、従業員数が４人以下であれば社会保険の加入は任意となります。

社会保険料は、給与の約30％相当を支払います。これを従業員本人が15％、会社が15％と折半して負担します。仮に、ある法人の給与（社長の役員報酬も含む）の総額が1000万円の場合、150万円が会社負担の社会保険となります。

中小企業の場合、多くの会社が社会保険の負担が重く、資金繰りが厳しくなっています。また、法人であるものの、社会保険へ未加入の法人も少なくありません。昨今、このような社会保険未加入の法人について、厳しく加入を迫るケースが多くなっています。どうしても資金繰りが厳しい場合は、「個人成り」を検討するのもいいでしょう。

ただし、個人成りにあたり法人を清算する場合は、法人で所有していた財産を個人へ売却することになります。法人として最後に多額の消費税を納税する可能性があることや、法人の時に発生した欠損金を個人事業へ引き継げないなどのデメリットが生じるので、どちらが有利か慎重な判断が必要です。

節税のために社長が押さえておきたい

用語解説

節税に関する用語にはさまざまなものがあります。本文で解説されている用語もありますが、ここで特に重要なものについておさらいしておきましょう。

印紙税…課税文書（株券や手形など）に対して課される税金

インボイス制度…所定の記載要件を満たした適格請求書（インボイス）を受け取ることにより、消費税の仕入税額控除を受けられる制度

益金…資本等の取引によるものを除いた、法人の資産の増加をきたす収益の額

外形標準課税…資本金1億円超の法人を対象とした法人事業税の課税制度であり、所得を基準とした課税（所得割）、法人の生み出した付加価値を基準とした課税（付加価値割）と資本金等の金額を基準とした課税（資本割）により徴収を行う制度

ガソリン税…ガソリンに課せられる税金で、正式には「揮発油税及び地方揮発油税」という

期ズレ…税務上の益金・損金となるべき事業年度と異なる事業年度に会計上の収益・費用が計上されている状態

経費…事業において使用する費用のこと

軽油引取税…軽油を購入した場合に課される税金

欠損金…事業年度の所得の金額の計算上、損金の額が益金の額を超える場合の、その超える部分の金額

原価法…購入価格を在庫の金額とするもの

合同会社…会社形態のひとつで、登録免許税6万円のみ（定款認証不要）で設立することができる

国税…国家が徴収する税金。法人税や所得税などが該当する

固定資産税…固定資産の所有者に課税される地方税で、土地・家屋・有形償却資産が課税対象となる

事業所税…一定規模の事業を行う事業主に対して課される税金

自動車税…自動車に対し、定置場の所在する都道府県が所有者に課す税金

資本金…出資者が会社に払い込んだ金額を基礎として設定される一定の額のこと

消費税…商品の販売やサービスの提供などに対して課税される税金

所得金額…個人の場合、1年間の収入から必要経費を引いたもの。法人の場合、益金の額から損金の額を控除した金額

所得税…所得に対して一定の割合で課せられる税金

税額控除制度…一定の要件を満たした場合に、法人税額から一定の金額を控除できる制度。要件は制度ごとに細かく定められている

相続税…被相続人から事業や事業用資産などを相続した場合に課される税金

損金…資本等の取引によるものを除いた、法人の資産の減少をきたす原価や費用、損失の額

退職所得控除…給与所得控除とは別に、退職所得につき一定額を控除できる制度

タックスヘイブン対策税制…タックスヘイブンとよばれる軽課税国（シンガポールなど）を利用して租税回避を図る行為を排除する制度

地方拠点強化税制…本社機能を地方に移した場合に税制上の優遇が受けられる制度

地方税…地方自治体が徴収する税金。法人事業税や法人住民税などが該当する

賃上げ促進税制…従業員の給与を一定額上げると法人税などが控除される制度

低価法…時価が原価より下がっている場合、期末時点での時価を在庫の金額とする方法

電子帳簿保存法…税法により保存が義務づけられている帳簿や書類などをデータで保存するためのルールを定めたもの
当期純利益…事業年度に計上されるすべての収益から、すべての費用と税金を差し引いて計算される当期の最終的な純利益
登録免許税…登記や登録、免許などについて課せられる国税
二重課税…同一の納税者や取引などに対して同じ種類の租税が重複して課税されている状態のこと
引当金…将来発生する費用のうち、当期に帰属する金額を見積もって、その概算額を当期の費用とするもの
評価損…企業の所有する資産に取得原価または帳簿価額と異なる価額を付する場合に生じる差額
不動産取得税…不動産を購入、増改築、贈与などにより取得した場合に課される税金
法人事業税…法人の所得に対して、地方自治体によって課される税金
法人住民税…法人の事業所がある自治体から課税される地方税で、「法人都道府県民税」と「法人市町村民税」の総称
法人税…法人の所得金額を課税標準として課される税金

法人税等の税率表

法人に関する税金のうち、「法人税」「所得税」「相続税」「贈与税」などの税率表を掲載しています。

■所得税の速算表

課税される所得金額	税率	控除額
195万円以下	5%	0円
195万円を超え330万円以下	10%	9万7500円
330万円を超え695万円以下	20%	42万7500円
695万円を超え900万円以下	23%	63万6000円
900万円を超え1800万円以下	33%	153万6000円
1800万円を超え4000万円以下	40%	279万6000円
4000万円超え	45%	479万6000円

出所：国税庁HP「所得税の税率」より編集部作成

■相続税の速算表

決定相続分に応ずる取得金額	税率	控除額
1000万円以下	10%	—
3000万円以下	15%	50万円
5000万円以下	20%	200万円
1億円以下	30%	700万円
2億円以下	40%	1700万円
3億円以下	45%	2700万円
6億円以下	50%	4200万円
6億円超	55%	7200万円

出所：国税庁HP「相続税の税率」より編集部作成

■贈与税の速算表

一般贈与財産用の速算表は、「特例贈与財産用」に該当しない場合の贈与税の計算に使用する（例：兄弟間の贈与、夫婦間の贈与、親から子への贈与で子が未成年者の場合など）。

特例贈与財産には、財産の贈与を受けた年の1月1日現在において18歳以上の子や孫が父母または祖父母から贈与を受ける場合などが該当する（例：祖父から孫への贈与、父から子への贈与など）。

●一般贈与財産用（一般税率）

基礎控除後の課税価格	税率	控除額
200万円以下	10%	—
300万円以下	15%	10万円
400万円以下	20%	25万円
600万円以下	30%	65万円
1000万円以下	40%	125万円
1500万円以下	45%	175万円
3000万円以下	50%	250万円
3000万円超	55%	400万円

●特例贈与財産用（特例税率）

基礎控除後の課税価格	税率	控除額
200万円以下	10%	—
400万円以下	15%	10万円
600万円以下	20%	30万円
1000万円以下	30%	90万円
1500万円以下	40%	190万円
3000万円以下	45%	265万円
4500万円以下	50%	415万円
4500万円超	55%	640万円

出所：国税庁HP「贈与税の計算と税率（暦年課税）」より編集部作成

■法人税の税率

<table>
<tr><th colspan="4">区分</th><th>税率</th></tr>
<tr><td rowspan="4">普通法人</td><td rowspan="3">資本金1億円以下の法人など※1</td><td rowspan="2">年800万円以下の部分</td><td>下記以外の法人</td><td>15%</td></tr>
<tr><td>適用除外事業者※2</td><td>19%</td></tr>
<tr><td colspan="2">年800万円超の部分</td><td>23.20%</td></tr>
<tr><td colspan="3">上記以外の普通法人</td><td>23.20%</td></tr>
<tr><td colspan="2" rowspan="2">協同組合等※3</td><td colspan="2">年800万円以下の部分</td><td>15%(16%)</td></tr>
<tr><td colspan="2">年800万円超の部分</td><td>19%(20%)</td></tr>
<tr><td rowspan="6">公益法人等</td><td rowspan="2">公益社団法人、公益財団法人または非営利型法人</td><td rowspan="8">収益事業から生じた所得</td><td>年800万円以下の部分</td><td>15%</td></tr>
<tr><td>年800万円超の部分</td><td>23.20%</td></tr>
<tr><td rowspan="2">公益法人等とみなされているもの※4</td><td>年800万円以下の部分</td><td>15%</td></tr>
<tr><td>年800万円超の部分</td><td>23.20%</td></tr>
<tr><td rowspan="2">上記以外の公益法人等</td><td>年800万円以下の部分</td><td>15%</td></tr>
<tr><td>年800万円超の部分</td><td>19%</td></tr>
<tr><td colspan="2" rowspan="2">人格のない社団等</td><td>年800万円以下の部分</td><td>15%</td></tr>
<tr><td>年800万円超の部分</td><td>23.20%</td></tr>
<tr><td colspan="2" rowspan="3">特定の医療法人※5</td><td rowspan="2">年800万円以下の部分</td><td>下記以外の法人</td><td>15%(16%)</td></tr>
<tr><td>適用除外事業者</td><td>19%(20%)※6</td></tr>
<tr><td colspan="2">年800万円超の部分</td><td>19%(20%)</td></tr>
</table>

※1 対象となる法人は次のとおり。①各事業年度終了の時において資本金の額もしくは出資金の額が1億円以下であるものまたは資本もしくは出資を有しないもの(※5に掲げる特定の医療法人を除く)。ただし、各事業年度終了時においては一部の法人を除く。②非営利型法人以外の、一般社団法人および一般財団法人

※2 2019年4月1日以後に開始する事業年度における適用除外事業者に該当する法人の場合

※3 協同組合等で、その事業年度における物品供給事業のうち店舗において行われるものに係る収入金額の年平均額が1000億円以上であるなどの一定の要件を満たすものの年10億円超の部分については、22%

※4 認可地縁団体、管理組合法人および団地管理組合法人、法人である政党等、防災街区整備事業組合、特定非営利活動法人ならびにマンション建替組合およびマンション敷地売却組合のこと

※5 措法第67条の2第1項に規定する国税庁長官の認定を受けたもの

※6 2019年4月1日以後に開始する事業年度において適用除外事業者に該当する法人の年800万円以下の部分については19%、その特定の医療法人が連結親法人である場合は20%

出所:国税庁HP「法人税の税率」より編集部作成

■法人住民税（東京23区内に事務所がある場合）

区分	税率
資本金が1億円以下、かつ法人税額が1000万円以下	7.0%
上記以外	10.4%

■法人事業税の税率の判定

●標準税率と超過税率の適用判定（普通法人の場合）

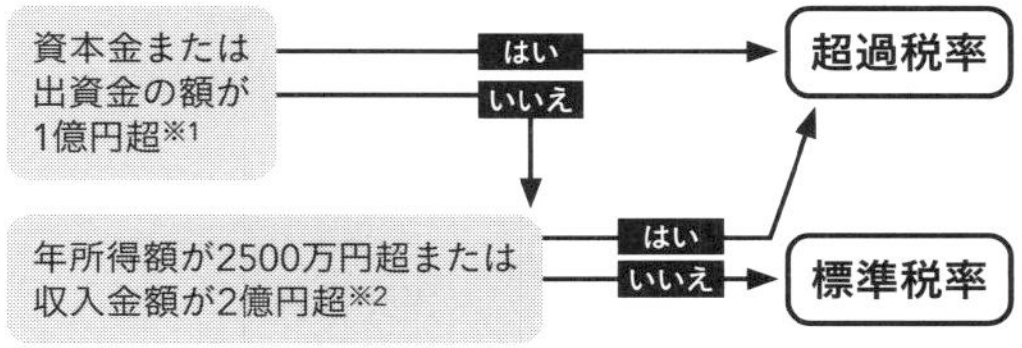

●軽減税率不適用法人に該当するかの判定

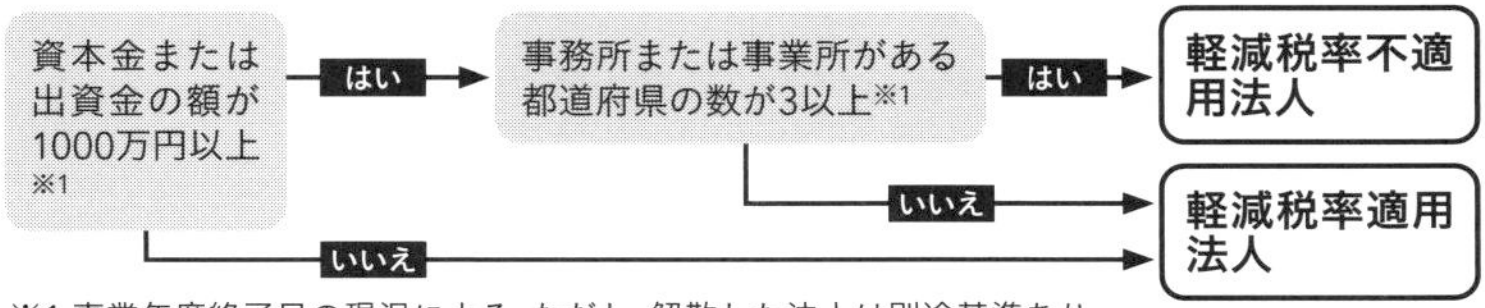

※1 事業年度終了日の現況による。ただし、解散した法人は別途基準あり
※2 所得割は年所得額、収入割は年収入金額により判定。なお、事務所または事業所が複数の都道府県にある分割法人は、分割前の年所得額・年収入金額による

■法人事業税（東京都、普通法人の場合）

<table>
<tr><th colspan="3">事業税の区分</th><th>標準課税</th><th>超過税率</th></tr>
<tr><td rowspan="4">所得割</td><td rowspan="3">軽減税率適用法人</td><td>年400万円以下の所得</td><td>3.5%</td><td>3.75%</td></tr>
<tr><td>年400万円超、800万円以下</td><td>5.3%</td><td>5.665%</td></tr>
<tr><td>年800万円超</td><td rowspan="2">7.0%</td><td rowspan="2">7.48%</td></tr>
<tr><td colspan="2">軽減税率不適用法人</td></tr>
</table>

索引

均等割……18・21
クラウド会計……140
繰越欠損金……22・135・226
経営セーフティ共済……196
決算賞与……68・70
決算セール……68・72
欠損金……89・135・226
減価償却……31・81・133・135・159・216
原価法……72
建設仮勘定……173
源泉徴収……185・228・241
合同会社……180・190
個人成り……245
固定資産税……12・36
個別対応方式……171

さ

再調達原価……73
債務確定基準……33
債務免除益……27
雑給……35
仕入高……35
実費精算……93・110
自動車税……12・36
支払手数料……35
資本金……16・21・135
資本割……22
事務用品費……35
社債等発行費……163
社宅規程……95
修繕引当金……32
修繕費……35・75
住民税……13・96・101
住民税均等割……23

あ

青色申告……89
一括償却資産……133・155
一括比例配分方式……171
移転価格税制……29
印紙税……202
インボイス制度……46・49
受取配当金……186
益金……15・24・26・28・186
益出し……149
延滞税……191・226・228

か

海外子会社……28・138
開業費……163
外注費……35
会計士……238
開発費……163
外形標準課税……21・135
確定申告……89・167・190・192
加算税……191・226・228・231
貸倒損失……206
貸倒引当金……32
課税売上高……128・166・168
課税事業者……51・164・166
株式交付費……163
仮払消費税……49・171・173
仮決算……188
簡易課税……41・128・165
還付金……166
議事録……224
期ズレ……33・38・40・47・68・142
技能習得費……112
給与手当……35
給与課税……77・114・154

貸借料……22・35・139
追徴課税……228・233・235
通信費……35
低価法……72
定額法……81・161
定期同額給与……100・199
逓増定期保険……57・59・78
定率法……81・161
当期純利益……15
特別償却……89・135・151・214

は

引当金繰入……32・35
評価益……24
評価損……34・69・74
付加価値割……22・139
福利厚生費……35・108・110・153
不動産取得税……36・158
分社化……120
ポイント引当金……32
報酬給与額……22・139
法人事業税……18・21・36・120
法人住民税……18・36・120
法人成り……184
法人税……12・15・36・252
法人税割……18
法定償却方法……82
法定福利費……35
保険料……56・78

やらわ

役員退職金……146
役員報酬……31・100・182・184
有価証券……34・169
予定申告……188
利益剰余金……186
利子税……36・191・193
留保金課税免除……135
旅費規程……41・92・108
割増償却……89
受贈益……26
出張旅費規程……92・108
純支払貸借料……23
純支払利子……22・139
少額減価償却資産……133・135・156
所得拡大促進税制……123
所得税……12・37・86・184
所得割……19・21・139
消費税……12・49・128・164・166・168・171・173・192
消費税課税事業者選択届出書……164
消費税簡易課税制度選択届出書 165
正味売却価額……73
消耗品費……35
賞与……35・68・70
賞与引当金……32・70
白色申告……89
推計課税……89・232
税額控除制度……99・127
税務調査……75・220・222・226
税理士……238・240・243
節税保険……56
租税公課……234
創立費……162
相続税……182・215
損金……15・30・36・234

た

タックスヘイブン対策税制……29・131
退職給付引当金……32
棚卸資産……34・73
短期前払費用……76
地代家賃……35
地方税……18・23・189・229
中間申告……188
中小企業倒産防止共済制度……196
中小法人……16・122
超過累進税率……101・145
貯蓄性……78
賃上げ促進税制……123・148

■著者紹介

冨田健太郎（とみた・けんたろう）

税理士。複数の上場企業の経理部、大手専門学校の講師、会計事務所および個人事業を経験して独立開業。開業後は、オーナー企業や個人事業者の税務・会計、コンサルティング、講座講師等をしながら、WEBでの情報提供にも注力している。自身が運営するサイト「勘定科目大百科」は月間20万PV以上。共著に『小さな会社の決算書 読み方 使い方がわかる本』(自由国民社)、『会社設立３年目までの税金の本』（自由国民社）など。

葛西安寿（かさい・やすひさ）

税理士。零細企業から上場企業までの法人税申告を行うとともに、医療法人の申告や相続税等の資産税業務まで幅広く業務をこなす。独立後は、いち早くクラウド会計を取り入れ業務を拡大するとともにもうひとつの柱として相続税業務に注力している。その他、医療法人の監事、既存税理士のいる会社とのセカンドオピニオン契約、保険外交員向けセミナー、執筆等、多岐にわたり活動している。共著に『会社設立３年目までの税金の本』（自由国民社）など。

■執筆協力

戸田愛（とだ・あい）

2014年税理士登録。立教大学法学部卒業。鉄鋼メーカー本社の総務人事部にて、管理部門の業務を一通り経験した後、税理士法人トーマツおよび医業専門税理士法人を経て、2016年池袋にて独立開業。個人および法人の会計税務や相談業務を中心としながら、相続案件にも注力している。

新版 小さな会社が本当に使える節税の本

発行　2022年８月30日　初版第１刷発行

著　者　冨田健太郎　葛西安寿
発行者　石井 悟
発行所　株式会社自由国民社
〒171-0033　東京都豊島区高田3-10-11
TEL 03(6233)0781(営業部)
TEL 03(6233)0786(編集部)
印刷所　横山印刷株式会社
製本所　新風製本株式会社

編集協力・本文DTP　株式会社ループスプロダクション
カバーデザイン　吉村朋子
